Accoucher sans stress

AVEC LA MÉTHODE BONAPACE

Éditrice: Liette Mercier
Design graphique: Ann Sophie Caouette
Traitement des images: Mélanie Sabourin
Infographie: Chantal Landry
Révision: Céline Sinclair
Correction: Sabine Cerboni et Céline Vangheluwe

DISTRIBUTEURS EXCLUSIFS:

Pour le Canada et les États-Unis:
MESSAGERIES ADP*
2315, rue de la Province
Longueuil, Québec J4G 1G4
Téléphone: 450-640-1237
Télécopieur: 450-674-6237
Internet: www.messageries-adp.com
* filiale du Groupe Sogides inc.,
  filiale de Québecor Média inc.

Pour la France et les autres pays:
INTERFORUM editis
Immeuble Paryseine, 3, allée de la Seine
94854 Ivry CEDEX
Téléphone: 33 (0) 1 49 59 11 56/91
Télécopieur: 33 (0) 1 49 59 11 33
Service commandes France Métropolitaine
Téléphone: 33 (0) 2 38 32 71 00
Télécopieur: 33 (0) 2 38 32 71 28
Internet: www.interforum.fr
Service commandes Export – DOM-TOM
Télécopieur: 33 (0) 2 38 32 78 86
Internet: www.interforum.fr
Courriel: cdes-export@interforum.fr

Pour la Suisse:
INTERFORUM editis SUISSE
Case postale 69 – CH 1701 Fribourg – Suisse
Téléphone: 41 (0) 26 460 80 60
Télécopieur: 41 (0) 26 460 80 68
Internet: www.interforumsuisse.ch
Courriel: office@interforumsuisse.ch
Distributeur: OLF S.A.
ZI. 3, Corminboeuf
Case postale 1061 – CH 1701 Fribourg – Suisse
Commandes:
Téléphone: 41 (0) 26 467 53 33
Télécopieur: 41 (0) 26 467 54 66
Internet: www.olf.ch
Courriel: information@olf.ch

Pour la Belgique et le Luxembourg:
INTERFORUM BENELUX S.A.
Fond Jean-Pâques, 6
B-1348 Louvain-La-Neuve
Téléphone: 32 (0) 10 42 03 20
Télécopieur: 32 (0) 10 41 20 24
Internet: www.interforum.be
Courriel: info@interforum.be

01-14

Dépôt légal: 2013
Bibliothèque et Archives nationales du Québec

ISBN 978-2-7619-4097-9

Gouvernement du Québec – Programme de crédit d'impôt pour l'édition de livres – Gestion SODEC – www.sodec.gouv.qc.ca

L'Éditeur bénéficie du soutien de la Société de développement des entreprises culturelles du Québec pour son programme d'édition.

 Conseil des Arts   Canada Council
du Canada   for the Arts

Nous remercions le Conseil des Arts du Canada de l'aide accordée à notre programme de publication.

Nous reconnaissons l'aide financière du gouvernement du Canada par l'entremise du Fonds du livre du Canada pour nos activités d'édition.

Julie Bonapace

Accoucher sans stress

AVEC LA MÉTHODE BONAPACE

LES ÉDITIONS DE L'HOMME

Une société de Québecor Média

À ma fille Malika, à ma mère Marie et à mon conjoint Lawrence
qui me soutiennent et m'aiment de manière inconditionnelle.

PRÉFACE

Julie Bonapace a conçu une méthode innovatrice de préparation à l'accouchement et de gestion de la douleur. Depuis 1989, elle enseigne cette méthode désormais reconnue à travers le monde. Conformément aux recommandations de l'Organisation mondiale de la santé (OMS) et des ministères de la Santé de nombreux pays, elle présente la grossesse et l'accouchement comme une expérience humaine marquante dont on doit préserver le caractère naturel, tout en profitant des progrès scientifiques.

Mme Bonapace a élaboré cette méthode pour faciliter le travail de la mère et lui rendre l'accouchement plus satisfaisant, mais aussi pour promouvoir la participation du père à cette étape de la vie, afin qu'il s'attache à son enfant, se sente impliqué dans son développement et soit présent. En effet, la période périnatale reste une étape cruciale pour créer et développer la relation d'attachement de l'enfant avec la mère et le père.

C'est avec une grande fierté que, depuis mai 2000 à l'hôpital Saint-Luc, le Centre hospitalier de l'Université de Montréal enseigne la *méthode Bonapace*. Chaque année, cent cinquante couples profitent d'un enseignement et d'un accompagnement structurés, sous la houlette de notre infirmière Mme Johanne Steben, qui a été formée à cette excellente méthode de préparation à la naissance.

Les cliniciens de notre milieu, infirmières et médecins, reconnaissent que les femmes qui accouchent avec la *méthode Bonapace* connaissent mieux l'évolution de l'accouchement, sont plus détendues et gèrent plus efficacement la douleur.

En outre, nous avons remarqué que les conjoints impliqués dans la démarche participent davantage à l'accouchement de leur enfant. Ils ne semblent pas désemparés et se sentent souvent utiles et fiers de leur contribution à cet événement heureux, d'autant plus que leur aide est primordiale dans la gestion de la douleur de leur conjointe.

On a aussi démontré que l'accompagnement efficace lors de l'accouchement permet de diminuer les interventions obstétricales tels les péridurales (ou épidurales), les accouchements assistés et les césariennes. Nous étudierons bientôt l'impact de la *méthode Bonapace* sur ces interventions.

Tous les cliniciens de notre milieu recommandent chaleureusement aux couples l'apprentissage de la *méthode Bonapace* pour la gestion de cette merveilleuse mais angoissante aventure qu'est la naissance de leur enfant.

MARIE-JOSÉE BÉDARD, M.D., F.R.C.S. (C)
Chef du service d'obstétrique-gynécologie
Centre hospitalier de l'Université de Montréal

AVANT-PROPOS

C'est avec une grande satisfaction et un immense plaisir que je vous présente le fruit d'une grossesse qui aura duré près de deux ans: la nouvelle édition entièrement revue de l'ouvrage *Accoucher sans stress*. Appuyée sur de nouvelles évidences scientifiques ainsi que sur la sagesse des femmes, de leurs partenaires, de chercheurs, de sages-femmes, de médecins et d'accompagnantes à la naissance de partout dans le monde, cette nouvelle version vous propose de nombreux outils pour vous aider à accoucher de manière aisée, sécuritaire et satisfaisante.

La démarche que je vous propose est essentiellement pratique et s'appuie sur ma propre recherche d'une «zone zen» à travers les situations intenses de la vie. C'est par la pratique que les connaissances deviennent compétences. En conséquence, les pages qui suivent vous proposent de vous préparer physiquement à l'accouchement par la pratique de postures de yoga (asanas), de respirations, de mouvements et de massages.

Quant à la préparation psychologique, elle repose d'abord et avant tout sur la compréhension de l'accouchement physiologique, c'est-à-dire de l'accouchement qui respecte les fonctions propres au corps. Vous trouverez dans les pages suivantes toute l'information qui vous permettra de comprendre les différents mécanismes en jeu pendant le travail et l'accouchement. Vous pourrez ainsi acquérir la conviction que le corps de la femme a tout ce qu'il faut pour donner naissance à un enfant en santé.

Des exercices pratiques vous permettant de développer une attitude positive, notamment au moyen de l'imagerie mentale, vous sont également proposés. Le visionnement de films vous aidera à ancrer ces notions dans votre imaginaire. Enfin, la pratique de la technique de libération émotionnelle vous aidera à composer avec les moments intenses et difficiles de la grossesse et de l'accouchement.

L'approche que je vous propose s'appuie sur la science et remet parfois en cause certaines pratiques qui ont cours pendant l'accouchement. Comme les anciennes habitudes sont parfois difficiles à changer dans les milieux hospitaliers, vous devrez être déterminée et vous préparer adéquatement pour faire respecter vos choix. Entourez-vous de plusieurs personnes qui soutiennent votre projet de naissance. Choisissez soigneusement les professionnels qui seront présents tout au long de la grossesse et de l'accouchement ainsi que le lieu dans lequel vous donnerez naissance. Préparez vos souhaits de naissance et discutez-en avec vos personnes-ressources.

La préparation qui vous est proposée inclut le partenaire et lui confie un rôle actif de premier plan. Elle offre au couple une occasion de vivre ensemble la naissance de la famille et favorise chez chacun le développement des habiletés et des compétences requises pour affronter des situations intenses.

Le fait de jouer un rôle important pendant la grossesse et l'accouchement confirme l'importance du père au sein de la famille. Les études démontrent que les pères qui se préparent pour la naissance de leur enfant et savent comment soutenir la femme en travail participent davantage aux soins du bébé en période postnatale que les pères qui ne sont pas préparés[1]. Leur estime de soi est renforcée et les relations père-mère et père-enfant sont plus fortes. Plus la relation de couple est bonne, meilleur est le lien père-enfant[2]. La satisfaction de chaque membre du couple est plus grande et le passage vers le rôle de parents s'opère plus facilement[3].

Mon travail comme médiateur familial chargé de négocier des divorces m'a convaincue de l'importance d'inclure le partenaire dans la préparation. Si toutefois votre partenaire ne souhaitait pas participer à la naissance, n'hésitez pas à faire appel à une personne-ressource qui saura vous soutenir de manière continue durant tout le travail et l'accouchement.

De tout cœur, je vous souhaite un parcours rempli de découvertes pour une naissance sécuritaire, aisée et satisfaisante.

CHAPITRE 1

LA PRÉPARATION

Depuis longtemps, un proverbe nous rappelle que mieux vaut prévenir que guérir et c'est spécifiquement ce que la méthode Bonapace vous propose en période prénatale.

Une bonne forme physique aide à créer les conditions propices à un accouchement aisé. Comme la femme accouche avec son corps, il est important que ce corps soit fort, souple et aligné. Pour vous guider dans l'atteinte de ce but, la méthode vous propose de pratiquer une séance de yoga au cours de laquelle vous exécuterez des postures de yoga (asanas)[4] qui ciblent les zones du corps les plus fortement sollicitées pendant la grossesse: la poitrine, le bas du dos, les abdominaux, les jambes, les adducteurs, le plancher pelvien et le muscle piriforme. En plus de vous aider à vous détendre, pratiquée régulièrement, cette séance de yoga permettra à votre bébé de se positionner de manière optimale dans votre ventre, soit la tête vers le bas, le dos tourné vers l'avant.

Il n'est pas nécessaire de connaître le yoga pour apprécier les bienfaits de la séance qui vous est présentée dans ce chapitre. Les mouvements sont simples et bien illustrés pour faciliter votre pratique quotidienne, peu importe le stade de votre grossesse. Profitez de cette période pour entrer en contact avec votre bébé, ce sera votre petit moment privilégié pour créer un lien avec lui. Observez ses mouvements et soyez à l'écoute de vos sensations pendant que vous exécutez les postures.

Pour soulager certains malaises liés à la grossesse tels que les maux de dos, la constipation, les crampes aux mollets, etc., nous vous proposons des massages et des postures adaptées qui vous aideront à minimiser les interventions médicales. Ainsi, la pratique du massage du périnée réduit les lésions de cette région, tandis que la pratique de certaines postures de yoga renforce et assouplit le corps pour vous permettre de donner naissance dans une variété de positions.

Sommaire du chapitre 1: La préparation

OBJECTIFS	MOYENS
Favoriser le bien-être de la mère et du bébé durant la grossesse	> Pratique de postures appropriées (assise, debout, allongée) > Pratique quotidienne du yoga pour réduire le stress et pour se détendre > Communication mentale et affective avec le bébé
Favoriser un accouchement physiologique et sans stress	> Pratique du yoga pour renforcer et relâcher le corps > Pratique du yoga et de postures pour favoriser le positionnement optimal du bébé dans l'utérus
Prendre conscience de son corps	> Pratique du yoga
Soulager les maux de dos et les tensions du corps	> Pratique d'une posture quotidienne juste > Pratique du yoga > Massage du piriforme
Prévenir les lésions du périnée	> Pratique du yoga > Massages du périnée

Durant les semaines de préparation, le rôle de la femme consiste à se préparer physiquement pour la naissance en s'adonnant quotidiennement à la séance de yoga, en adoptant des postures justes (debout, assise et allongée) et en massant ou en faisant masser certaines parties de son corps.

Quant au rôle de l'accompagnant, il consiste à soutenir la femme dans sa pratique régulière du massage du piriforme et du muscle périnée ainsi qu'à se préparer à travailler en équipe avec elle pendant la grossesse et l'accouchement.

LA PRATIQUE DU YOGA DURANT LA GROSSESSE

La grossesse transforme le corps de la femme. L'augmentation du poids et la sécrétion d'une hormone appelée relaxine ont un effet sur les muscles et les tissus. L'élasticité du corps augmente, sa capacité de réaction au stress change. Tous ces phénomènes justifient l'importance de cultiver de bonnes habitudes pour se préparer à l'enfantement.

Le yoga est une science et un art qui date de plusieurs milliers d'années. La pratique régulière de cette discipline accessible à tous permet de profiter du moment présent. L'attention est tournée vers les sensations alors que le souffle accompagne le mouvement. Le yoga apaise l'esprit (le mental) et l'harmonise avec le corps, il procure un meilleur équilibre physique, mental et spirituel.

Il existe de nombreux types de yoga. Celui dont s'inspire cet ouvrage est le hatha-yoga tel qu'il est enseigné par B.K.S. Iyengar[5], un yogi qui a commencé l'enseignement du yoga en 1936 à l'âge de 18 ans. Il a eu le génie d'adapter la pratique des postures afin que les «jeunes, les anciens, les faibles et les malades» puissent eux aussi en bénéficier. C'est grâce à l'utilisation de supports (blocs, sangles, couvertures, mur, chaise, etc.) que les limites de chacun sont respectées. Le yoga Iyengar met l'accent sur l'alignement du corps, la symétrie et la recherche de la précision dans la posture. En plus de développer souplesse, force et endurance, la pratique des asanas vous permet d'améliorer votre capacité de concentration et de relaxation, soit votre capacité à entrer dans une «zone zen», ce qui vous sera très utile au moment de votre accouchement.

Les effets bénéfiques du yoga

De récentes études scientifiques d'une grande qualité (études randomisées contrôlées) démontrent les bienfaits du yoga en préparation prénatale. Une première étude a révélé que 6 heures de formation en yoga ainsi que la pratique des postures (asanas) et des respirations (pranayamas) à raison de trois séances par semaine, et ce, à compter de la vingt-sixième semaine de grossesse, améliorent le bien-être de la mère pendant le travail, l'accouchement et les 2 premières heures du post-partum (après la naissance). Elles atténuent la perception de la douleur et réduisent la durée totale du travail et de l'accouchement[6].

Une seconde étude a comparé des femmes ayant pratiqué le yoga à raison d'une heure par jour, à partir de la vingtième semaine de grossesse, à des femmes qui ont marché pendant 30 minutes, deux fois par jour, à partir de la même période. Les femmes du groupe yoga avaient suivi quatre ou cinq séances de formation avec un professeur qualifié. Les résultats ont démontré une réduction du nombre d'accouchements prématurés, de bébés de petit poids (2500 g) et du taux de retard de croissance intra-utérine, avec et sans hypertension induite par la grossesse, dans le groupe yoga. Aucun effet secondaire n'a été rapporté[7].

Vous en conviendrez, ce sont d'excellents résultats pour une approche non invasive, basée sur quelques heures de pratique par semaine! L'avantage de cette pratique est de vous permettre d'habiter votre corps et d'apprendre à travailler avec vos ressources car, ultimement, vous accoucherez avec votre corps et non avec votre esprit. Le yogi K. Pattabhi Jois résume bien ce concept quand il dit que le yoga, c'est 99 % de pratique et 1 % de théorie[8].

Certaines zones du corps de la femme enceinte sont sollicitées davantage durant la grossesse et l'accouchement. La séance de yoga que nous vous proposons à la fin du chapitre prépare le corps à la naissance en ciblant ces zones particulières.

Les postures qui y sont décrites ont plusieurs buts:
- Détendre les muscles paravertébraux, particulièrement ceux du bas du dos qui assurent le maintien de la posture en position debout (ces muscles luttent contre le déplacement vers l'avant du bassin occasionné par le poids du bébé).
- Tonifier et détendre les muscles de l'intérieur des cuisses (adducteurs) et ceux du plancher pelvien (périnée). Ces muscles doivent être forts pour assurer un bon support et la stabilité des os du bassin; ils doivent aussi être souples pour permettre l'ouverture extraordinaire du bassin et le passage du bébé lors de l'accouchement.

- Prendre conscience du périnée profond et le détendre pour mieux le relâcher pendant l'accouchement.
- Tonifier les muscles abdominaux profonds qui aideront à maintenir la posture juste.
- Assouplir le muscle piriforme, qui s'insère sur le sacrum et est souvent contracté, ce qui entraîne, dans bien des cas, des douleurs irradiant dans la fesse, la hanche et la cuisse.

Quelques notions de base concernant la pratique du yoga

Voici quelques notions de base à respecter pour assurer votre bien-être et celui de votre enfant lorsque vous pratiquez le yoga :

- Le yoga se pratique en douceur sans brusquer le corps. Soyez attentive à vos sensations, progressez de manière graduelle. La clé est la pratique régulière.
- La respiration est harmonieuse, silencieuse et sans effort. Elle est toujours libre et n'est pas bloquée. Laissez respirer tout le corps.
- Si votre respiration est courte, tendue ou forcée, c'est un signe que vos appuis dans la posture ne sont pas justes. Recommencez la posture en allongeant votre dos et en dégageant les épaules.
- Entre les postures, reposez-vous au besoin en vous couchant sur le côté.
- Cessez tout mouvement qui provoquerait une douleur ou un inconfort quelconque.
- Après la pratique de chaque posture allongée, roulez sur le côté et asseyez-vous avant de vous lever.
- Faites appel à un professeur qualifié, si vous avez besoin d'aide.

LES POSTURES DEBOUT

À mesure que le bébé se développe, la femme tend à incliner le haut de son corps vers l'arrière. Elle cambre son dos pour maintenir son équilibre, ce qui augmente la pression à l'intérieur de l'abdomen, contre les muscles grands droits et ceux du périnée. Pour maintenir une posture debout juste, allongez toujours le dos, ouvrez la poitrine et dégagez le bas du dos.

POSTURE DEBOUT FONDAMENTALE
Tadasana

Cette posture fait partie des postures fondamentales du yoga; son nom signifie «stable et droite comme une montagne». La pression sous les pieds est répartie de manière égale entre trois points: le dessous du gros orteil, le dessous du petit orteil et le milieu du talon (*illustration 1.1*). Bougez de l'avant vers l'arrière pour trouver le point d'équilibre au centre de la plante de vos pieds. Au troisième trimestre, il faut légèrement tourner les gros orteils vers l'intérieur afin de créer de l'espace dans le bas du dos.

Ill. 1.1

Fig. 1.1

Fig. 1.2

Fig. 1.3

ÉTAPES

1. Tenez-vous debout, les pieds écartés à la largeur des hanches (*figure 1.1*).
2. Les pieds sont à plat au sol, le poids réparti entre les trois appuis du pied.
3. Allongez les orteils sans les crisper.
4. Placez les chevilles parallèles (face à face).
5. Tendez et levez la rotule des genoux en raffermissant les quadriceps (muscles des cuisses).
6. Roulez les cuisses de l'extérieur vers l'intérieur afin de dégager le sacrum (l'os du bas du dos).
7. Dirigez le sacrum (os du bas du dos) vers le sol.
8. Remontez le ventre vers le haut. Rentrez les côtes inférieures et soulevez la poitrine.
9. Allongez la colonne vertébrale et soulevez le sternum (os central de la poitrine).
10. Dégagez les épaules et la poitrine, en ouvrant les bras de chaque côté du corps, les paumes vers le ciel.
11. Descendez les épaules vers le bas, rentrez les omoplates et retournez les paumes afin qu'elles se trouvent le long du corps (*figure 1.2*).
12. La tête et le cou sont droits. Le regard est doux et porté au loin (*figure 1.3*).

EFFETS BÉNÉFIQUES DE LA POSTURE DEBOUT FONDAMENTALE

· Prévient les maux de dos liés à la cambrure du bas du dos.
· Favorise l'alignement du bassin afin que le bébé s'y positionne de manière optimale.
· Soulage les crampes dans les jambes, durant la nuit.

En fin de grossesse, vous pouvez sentir une lourdeur inconfortable au fond du vagin ou derrière l'os pubien. Cette sensation désagréable donne envie, pour la soulager, de fermer le bassin en croisant les jambes et en serrant les fesses, ce qui crée des contractions musculaires involontaires et des tensions dans le périnée profond. Pour corriger cette lourdeur et maintenir une posture debout correcte, entraînez-vous à vous tenir debout droite.

POSTURE DEBOUT, PIED APPUYÉ

Fig. 1.4

Lorsque vous devez maintenir une posture debout pendant un long moment, portez des talons plats qui supportent bien vos pieds et placez un tabouret sous un pied (*figure 1.4*). Évitez un déhanchement en gardant le pied au sol aligné avec le genou et la hanche.

POSTURE DEBOUT, JAMBE SUR LE CÔTÉ
Marychyasana 1

Fig. 1.5

ÉTAPES

1. Placez une première chaise à côté de vous et une seconde devant vous.
2. Prenez la posture debout (*figure 1.2*) avec la chaise qui touche le côté de la jambe.
   - Tenez-vous debout, les pieds écartés à la largeur des hanches, le côté de la jambe appuyé contre la chaise.
   - Équilibrez le poids selon l'illustration 1.1, les pieds à plat au sol.
   - Allongez les orteils sans les crisper.
   - Placez les chevilles parallèles (face à face).
   - Tendez et levez la rotule des genoux en raffermissant les quadriceps (muscles des cuisses).
   - Roulez les cuisses de l'extérieur vers l'intérieur afin de dégager le sacrum (l'os du bas du dos).
   - Dirigez le sacrum (os du bas du dos) vers le sol.
   - Remontez le ventre vers le haut. Rentrez les côtes inférieures et soulevez les côtés de la poitrine.
   - Allongez la colonne vertébrale et soulevez le sternum (os central de la poitrine).
   - Dégagez les épaules et la poitrine en ouvrant les bras de chaque côté du corps, les paumes vers le ciel. Descendez les épaules vers le bas, rentrez les omoplates et retournez les paumes afin qu'elles se trouvent le long du corps.

- La tête et le cou sont droits. Le regard est doux et porté au loin.

3. Levez la jambe qui est près de la chaise et posez le pied en formant un angle de 45° au centre de la chaise.
4. Le pied de la jambe allongée est parallèle au mur. La cheville, le genou et la hanche sont alignés. Attention au déhanchement.
5. Abaissez la hanche de la jambe pliée de manière à ce que les deux hanches soient à la même hauteur.
6. Respirez quelques secondes dans la posture.
7. Posez les mains dans le creux de l'aine et fléchissez tout en allongeant le dos et en soulevant la poitrine.
8. Appuyez les mains sur la chaise devant vous, allongez la tête, le cou et le dos. Rentrez les côtes inférieures et soulevez la poitrine (*figure 1.5*).
9. Respirez dans la position pendant quelques secondes.
10. Pour quitter la posture, posez la main sur le genou plié. En prenant appui sur le genou, poussez pour redresser le dos sans l'arrondir.
11. Avec la main opposée à la jambe, soulevez la jambe et déposez-la au sol.
12. Revenez à la posture debout (*tadasana*).

....

À SURVEILLER !

> **La poitrine est soulevée et le dos est allongé.**
> **La rotule de la jambe allongée est montée, les muscles des cuisses sont fermes.**
> **Les hanches sont horizontales.**

EFFETS BÉNÉFIQUES
- Soulage les douleurs du dos, des épaules, du cou et de l'articulation sacro-iliaque.
- Augmente la souplesse du bassin.
- Tonifie les muscles abdominaux.

CONTRE-INDICATION OU AIDE
Plus votre grossesse avance, plus vous devez élargir l'écart entre les jambes.

LES POSTURES ASSISES

Pour prévenir les maux de dos, faciliter la digestion et la respiration en position assise, allongez toujours le dos et ouvrez la poitrine.

POSTURE ASSISE SUR UNE CHAISE

Fig. 1.6

ÉTAPES
1. Posez les pieds au sol, écartés à la largeur des hanches. Les genoux sont au même niveau que les hanches. Si le siège est trop haut, mettez les pieds sur des couvertures, des livres ou des blocs (*figure 1.6*).
2. Les os des jambes sont parallèles.
3. N'arrondissez pas le dos. Cherchez plutôt à l'allonger en rentrant les côtes inférieures, en soulevant le sternum, en roulant les épaules vers l'arrière tout en baissant les épaules. Placez une couverture derrière votre dos afin d'appuyer les omoplates.
4. Asseyez-vous au centre de vos ischions (les os pointus sous les fesses).
5. Relevez-vous de la chaise en penchant le haut du corps vers l'avant, le dos droit[9].
6. Expirez en poussant sur vos jambes ou sur les bras de la chaise.

POSTURE ASSISE SUR UNE CHAISE APPUYÉE AU MUR

Cette posture peut être pratiquée à tout moment pendant la journée au cours de la grossesse. Elle sert à relâcher les tensions du haut du corps. En travail actif, la chaise peut être remplacée par un ballon.

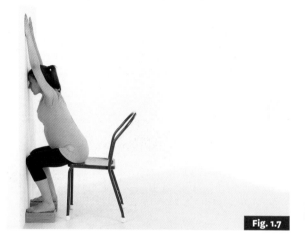

Fig. 1.7

ÉTAPES

1. Placez une chaise face au mur.
2. Asseyez-vous sur le bout de la chaise. Les jambes sont suffisamment écartées pour permettre au ventre de passer. Les orteils sont en contact avec le mur et les genoux au-dessus des pieds.
3. En expirant, glissez les mains le long du mur. La distance entre les bras est légèrement supérieure à la largeur des épaules (*figure 1.7*).
4. Le dos est allongé et les côtes inférieures sont rentrées.

À SURVEILLER !

> Le bas du dos n'est pas creux.
> Le sacrum est allongé vers le sol.

POSTURE DE LA CHAISE APPUYÉE AU MUR
Utkatasana

Cette posture sert à renforcer les membres inférieurs qui sont particulièrement sollicités lors de l'expulsion du bébé.

Fig. 1.8

ÉTAPES

1. Prenez la posture debout (*figure 1.2*) à environ 30 cm du mur, le dos face au mur.
   - Tenez-vous debout, les pieds écartés à la largeur des hanches.
   - Les pieds sont à plat au sol, le poids réparti entre les trois appuis du pied.
   - Allongez les orteils sans les crisper.
   - Placez les chevilles parallèles (face à face).
   - Tendez et levez la rotule des genoux en raffermissant les quadriceps (muscles des cuisses).
   - Roulez les cuisses de l'extérieur vers l'intérieur afin de dégager le sacrum (l'os du bas du dos).
   - Dirigez le sacrum (os du bas du dos) vers le sol.
   - Remontez le ventre vers le haut. Rentrez les côtes inférieures et soulevez les côtés de la poitrine.
   - Allongez la colonne vertébrale et soulevez le sternum (os central de la poitrine).
   - Dégagez les épaules et la poitrine en ouvrant les bras de chaque côté du corps, les paumes vers le ciel.

- Descendez les épaules vers le bas, rentrez les omoplates et retournez les paumes afin qu'elles se trouvent le long du corps.
  - La tête et le cou sont droits. Le regard est doux et porté au loin.
2. Appuyez le sommet des doigts contre le mur derrière vous. Appuyez ensuite le dos.
3. Tout en gardant le dos allongé, soufflez en pliant vos genoux et en laissant glisser vos fesses vers le bas (*figure 1.8*).
4. Gardez la posture entre 15 et 30 secondes.
5. Pour quitter la posture, inspirez en allongeant les jambes pour reprendre la posture de départ.

À SURVEILLER !

> Le dos est droit et appuyé au mur. Il est allongé et en contact avec le mur.

> Les fesses descendent vers le sol sans quitter le mur.

> Le haut du corps est maintenu dans la posture debout (*figure 1.2*).

EFFETS BÉNÉFIQUES

- Tonifie les muscles dorsaux et abdominaux.
- Renforce les muscles des jambes.
- Assouplit les chevilles, les genoux et les jambes.

POSTURE ASSISE, JAMBES ALLONGÉES
Dandasana

Cette posture est le point de départ des postures assises au sol.

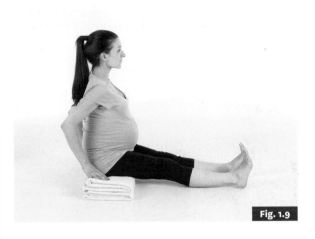

Fig. 1.9

ÉTAPES

1. Asseyez-vous sur trois ou quatre couvertures empilées les unes sur les autres, avec les fesses plus hautes que les pieds.
2. Tenez-vous assise bien droite avec les jambes allongées devant vous, les pieds séparés (*figure 1.9*).
3. Allongez les orteils en direction du plafond.
4. Gardez les paumes des mains à côté des hanches, avec les doigts dirigés vers les jambes.
5. Remontez le ventre vers le haut. Rentrez les côtes inférieures et soulevez les côtés de la poitrine.
6. Allongez la colonne vertébrale et soulevez le sternum (os central de la poitrine) en rapprochant les coudes.
7. La tête et le cou sont droits. Le regard est doux et porté au loin.
8. Restez dans cette posture pendant 30 à 60 secondes, en respirant doucement.

> Remontez la taille en pressant les genoux et les fémurs contre le sol.

> Les fesses, le dos et la tête sont alignés et perpendiculaires au sol.

> Affermissez la colonne vertébrale et ouvrez les côtes et la poitrine.

> Faites remonter les organes de l'abdomen.

EFFETS BÉNÉFIQUES

· Étire les muscles des jambes.
· Masse les organes abdominaux.
· Fortifie les muscles de la taille.
· Tonifie les reins.

CONTRE-INDICATION OU AIDE

Si vous avez le dos faible ou si vous souffrez de problèmes cardiaques, appuyez votre dos contre un mur.

POSTURE ASSISE EN TAILLEUR
Svastikasana

Voilà une excellente posture à pratiquer lorsque vous êtes assise au sol. Les supports placés sous les fesses facilitent la prise de la position et évitent que le diaphragme respiratoire soit comprimé par un dos arrondi.

Fig. 1.10

ÉTAPES

1. Commencez avec la posture assise jambes allongées (*figure 1.9*).

   · Asseyez-vous sur trois ou quatre couvertures empilées les unes sur les autres, avec les fesses plus hautes que les pieds.

   · Tenez-vous assise bien droite avec les jambes allongées devant vous, les pieds séparés.

   · Allongez les orteils en direction du plafond.

   · Gardez les paumes des mains au sol à côté des hanches, avec les doigts dirigés vers les jambes.

   · Remontez le ventre vers le haut. Rentrez les côtes inférieures et soulevez les côtés de la poitrine.

   · Allongez la colonne vertébrale et soulevez le sternum (os central de la poitrine) en rapprochant les coudes. Ouvrez les côtes et la poitrine.

- La tête et le cou sont droits. Le regard est doux et porté au loin.
2. Pliez le genou droit et placez le pied droit sous la cuisse gauche.
3. Pliez le genou gauche et placez le pied gauche sous la cuisse droite (*figure 1.10*).
4. Les os des avant-jambes (tibias) se croisent au milieu. Chaque pied est placé sous la cuisse opposée.
5. Dégagez les épaules et la poitrine en plaçant les doigts de chaque côté des hanches. Rapprochez les coudes, descendez les épaules vers le bas et rentrez les omoplates.
6. Sans bouger le haut du corps, posez le dessus des mains sur les cuisses, près de l'aine.

À SURVEILLER !

> La colonne vertébrale est ferme.

> Les organes de l'abdomen remontent.

EFFETS BÉNÉFIQUES
- Relâche le bassin et le dos.
- Facilite la respiration.

CONTRE-INDICATION OU AIDE
Au besoin, appuyez-vous au mur pour plus de support.

POSTURE ASSISE, JAMBES EN PAPILLON
Badha Konasana

Cette posture est l'une des plus recommandées pour les femmes enceintes à cause de son action sur les reins, le plancher pelvien et la respiration. Afin de ne pas surcharger le bas du dos, on la pratique sur un support, avec le dos allongé.

Fig. 1.11

ÉTAPES
1. Commencez avec la posture assise, jambes allongées (*figure 1.9*).
   - Asseyez-vous sur trois ou quatre couvertures empilées les unes sur les autres, avec les fesses plus hautes que les pieds.
   - Tenez-vous assise bien droite avec les jambes allongées devant vous, les pieds séparés.
   - Allongez les orteils en direction du plafond.
   - Gardez les paumes des mains au sol à côté des hanches, avec les doigts dirigés vers les jambes.
   - Remontez le ventre vers le haut. Rentrez les côtes inférieures et soulevez les côtés de la poitrine.
   - Allongez la colonne vertébrale et soulevez le sternum (os central de la poitrine) en rapprochant les coudes.
   - La tête et le cou sont droits. Le regard est doux et porté au loin.

2. Pliez les deux jambes à partir des genoux et tirez les pieds vers l'aine (*figure 1.11*).
3. Rapprochez les plantes de pieds et les talons de manière à ce qu'ils se touchent.
4. Tenez les pieds avec vos mains ou avec une ceinture et rapprochez les talons du périnée. Les côtés extérieurs des pieds doivent être en contact avec le sol. Respirez normalement.
5. Écartez vos cuisses en cherchant à toucher le sol avec vos genoux.
6. Allongez à partir de l'aine.

EFFETS BÉNÉFIQUES

· Soulage les maux de dos et renforce les muscles de la région pelvienne et du bas du dos.
· Crée de l'espace pour les muscles du plancher pelvien.
· Soulage la sensation de pesanteur dans le bas-ventre et facilite la respiration.

CONTRE-INDICATION OU AIDE

Des supports peuvent être placés sous les cuisses si l'étirement des os du pubis est trop inconfortable.

POSTURE ASSISE AU SOL, JAMBES ÉCARTÉES
Upavishta Konasana

Dans cette posture, les jambes sont écartées afin de créer un angle entre les deux jambes qui varie entre 90° et 180°. Comme dans le cas de la posture précédente, l'objectif est de renforcer, d'assouplir et d'ouvrir le bassin. Au moment de la naissance, une pression importante s'exerce sur les articulations du bassin. Plus vous êtes forte et souple, meilleure sera votre capacité à vous adapter aux efforts et aux sensations intenses qu'occasionne l'expulsion du bébé.

Fig. 1.12

ÉTAPES

1. Commencez avec la posture assise, jambes allongées (*figure 1.9*).
   · Asseyez-vous sur trois ou quatre couvertures empilées les unes sur les autres, avec les fesses plus hautes que les pieds.
   · Tenez-vous assise bien droite avec les jambes allongées devant vous, les pieds séparés.
   · Allongez les orteils en direction du plafond.
   · Gardez les paumes des mains au sol à côté des hanches, avec les doigts dirigés vers les jambes.
   · Remontez le ventre vers le haut. Rentrez les côtes inférieures et soulevez les côtés de la poitrine.
   · Allongez la colonne vertébrale et soulevez le sternum (os central de la poitrine) en rapprochant les coudes.

- La tête et le cou sont droits. Le regard est doux et porté au loin.

2. Écartez les jambes en les allongeant à partir du talon, l'une après l'autre pour éviter les crampes. Augmentez l'amplitude graduellement (*figure 1.12*).

3. La plante des pieds est perpendiculaire au sol et les orteils pointent vers le plafond. Attention à ce que les pieds ne tombent pas vers l'intérieur.

4. Continuez la pratique de cette posture, même si vous ressentez une sensation intense dans les muscles ischio-jambiers (derrière la cuisse). Avec le temps, cette sensation diminuera.

5. Maintenez les paumes des mains au sol, sur les côtés des cuisses.

6. Soulevez la taille et les côtes vers le haut en appuyant les jambes et les paumes au sol.

7. Soulevez la poitrine.

....

À SURVEILLER !

> L'arrière des jambes est en contact avec le sol.

> Les genoux sont poussés vers le sol, en dépit de leur tendance à remonter.

> Les épaules roulent vers l'arrière pour dégager et relever la poitrine. Les côtes inférieures sont rentrées et remontées, ce qui augmente la distance entre le diaphragme et la partie inférieure de l'abdomen.

EFFETS BÉNÉFIQUES

- Renforce les muscles du plancher pelvien et du bas du dos.
- Améliore la circulation sanguine dans le bassin et l'abdomen.
- Tonifie les reins, ce qui aide les problèmes urinaires.

CONTRE-INDICATION OU AIDE

Évitez cette posture si le bébé est descendu prématurément ou si le col de l'utérus est dilaté ou a déjà subi des lésions quelconques. Dans le cas où la colonne vertébrale semble lourde, roulez une petite serviette que vous placerez sous le coccyx.

POSTURE ASSISE SUR LES GENOUX
Virasana

Cette position de force et de pouvoir dégage la respiration et aligne le dos.

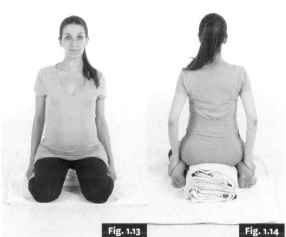

Fig. 1.13   Fig. 1.14

Fig. 1.15   Fig. 1.16

ÉTAPES

1. Agenouillez-vous au sol, les genoux écartés et les avant-jambes parallèles (*figure 1.13*). Pour éviter la pression qui s'exerce sur les articulations des genoux et des chevilles, placez entre les jambes quelques couvertures empilées les unes sur les autres de manière à ce que les fesses soient plus hautes que les pieds (*figure 1.14*).

2. Roulez les mollets vers l'extérieur afin que l'avant-jambe repose au sol.

3. Répartissez le poids du corps sur les genoux, les pieds et les fesses.
4. Appliquez une légère pression sur le côté externe des pieds afin de les diriger vers le sol.
5. Allongez le bas du dos. Le sacrum pointe vers le sol (*figure 1.15*).
6. Étirez le haut du corps en soulevant la taille et les côtés de la poitrine. Les côtes inférieures sont rentrées, les épaules roulent vers l'arrière tout en demeurant basses. Attention de ne pas creuser le bas du dos.
7. Déposez les paumes des mains sur les genoux ou sur les chevilles.
8. Respirez normalement. Conservez cette position pendant environ 1 minute.
9. Pour quitter la posture, appuyez le poids du haut du corps vers l'avant et levez-vous sur les genoux (*figure 1.16*).

À SURVEILLER !

> Le haut du corps doit être droit sans s'incliner vers l'avant.
> Les cuisses et l'aine descendent vers le bas.

EFFETS BÉNÉFIQUES

- Donne du courage.
- Prévient et soulage les jambes enflées et les varices.
- Corrige une courbure lombaire trop prononcée.
- Réduit la tension artérielle élevée occasionnée par des problèmes rénaux.

CONTRE-INDICATION OU AIDE

Étendez les pieds à l'horizontale, à défaut de les tourner, de manière à ce que la voûte plantaire soit dirigée vers le plafond.

POSTURE À GENOUX, APPUYÉE VERS L'AVANT
Adho Mukha Virasana

Cette posture, aussi connue sous le nom de «posture de l'enfant», procure beaucoup de bien-être et peut être pratiquée tout au long de la grossesse jusqu'au jour de la naissance.

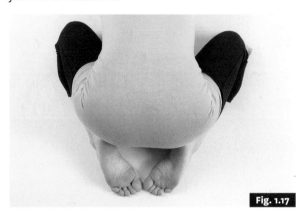

Fig. 1.17

ÉTAPES

1. Commencez avec la posture assise sur les genoux (*figure 1.13*).
2. Joignez les gros orteils et laissez s'ouvrir les talons de chaque côté de manière à ce que les pieds soient à l'horizontale et de la même hauteur du côté droit et du côté gauche (*figure 1.17*).
3. Roulez les muscles des mollets de l'intérieur vers l'extérieur et asseyez-vous confortablement sur vos pieds.

EFFETS BÉNÉFIQUES

- Repose le cœur, aide à soigner l'hypertension et le diabète.
- Permet à la respiration de se faire sentir dans toutes les parties du tronc: plancher pelvien, bas du dos, colonne vertébrale, abdomen et poitrine.
- Soulage le dos et développe la souplesse du bassin.

CONTRE-INDICATION OU AIDE

Selon le stade de la grossesse, ajustez la hauteur des supports pour les bras ou appuyez le haut du corps sur une chaise (*figure 1.18*). Pour plus de confort, posez une couverture sur les talons (*figure 1.19*).

Fig. 1.18

Fig. 1.19

POSTURE ACCROUPIE
Malasana

Cette posture est excellente pour permettre la descente du bébé dans le bassin, au moment de la naissance. La pression qu'exerce sa tête sur le col de l'utérus facilite la dilatation cervicale. La pratique de cette posture pendant la grossesse vous aide à développer force et souplesse en vue de sa réalisation lors du travail et de l'accouchement. Comme elle est exigeante, pratiquez-la à l'aide de supports que vous placez sous les fesses. Maintenez l'équilibre en vous accrochant à un foulard, à un escalier ou au rebord d'une fenêtre.

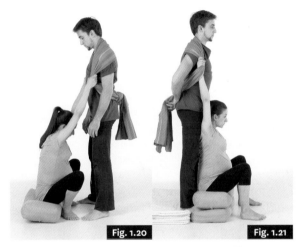

Fig. 1.20   Fig. 1.21

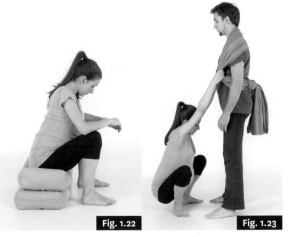

Fig. 1.22   Fig. 1.23

1. Tenez-vous face au mur dans la posture debout (*figure 1.2*). Élargissez les pieds d'environ 70 à 80 cm et placez-vous à environ 70 cm du mur.
   - Allongez les orteils sans les crisper.
   - Placez les chevilles parallèles (face à face).
   - Tendez et levez la rotule des genoux en raffermissant les quadriceps (muscles des cuisses).
   - Roulez les cuisses de l'extérieur vers l'intérieur afin de dégager le sacrum (l'os du bas du dos).
   - Dirigez le sacrum (os du bas du dos) vers le sol.
   - Remontez le ventre vers le haut. Rentrez les côtes inférieures et soulevez les côtés de la poitrine.
   - Allongez la colonne vertébrale et soulevez le sternum (os central de la poitrine).
   - Dégagez les épaules et la poitrine en ouvrant les bras de chaque côté du corps, les paumes vers le ciel. Descendez les épaules vers le bas, rentrez les omoplates et retournez les paumes afin qu'elles se trouvent le long du corps.
     - La tête et le cou sont droits. Le regard est doux et porté au loin.
2. Si vous avez accès à des sangles (ou à un rebord de fenêtre, un meuble, un escalier, etc.), attrapez-les et pliez les jambes en poussant les genoux vers le côté afin de laisser passer l'abdo-men (*figure 1.20*).
3. Appuyez les talons au sol et les fesses sur le support semi-rigide.
4. Ajoutez de la hauteur à votre support si vos talons se soulèvent.
5. Inclinez votre corps légèrement vers l'avant.
6. Détendez la tête, les épaules et le dos.
7. Portez votre attention sur votre respiration, que vous laissez libre. Respirez avec tout votre corps.

Cette posture peut être pratiquée avec les bras en suspension au-dessus de soi (*figure 1.21*) ou appuyés contre les genoux (*figure 1.22*). Au fur et à mesure que vous augmenterez la souplesse de votre bassin, vous pourrez réduire la hauteur des supports sous les fesses (*figure 1.23*).

À SURVEILLER !

> Le dos est allongé.
> Les jambes sont bien ouvertes.
> Les fesses sont relâchées.

EFFETS BÉNÉFIQUES
- Facilite la respiration lorsque les bras sont en suspension.
- Facilite la détente du bassin et du dos grâce à la flexion des jambes.
- Facilite la descente du bébé dans le bassin, au moment du travail.

CONTRE-INDICATION OU AIDE
Il est préférable de ne pas pratiquer cette posture durant le premier trimestre de la grossesse.

POSTURES À L'HORIZONTALE

Chaque fois que vous êtes allongée sur le dos et que vous souhaitez vous relever, observez les précautions suivantes afin de protéger votre dos et vos abdominaux tout en prévenant les étourdissements causés par des changements brusques de position.

Fig. 1.24

Fig. 1.25

Fig. 1.26

ÉTAPES

1. Étendue sur le dos, pliez les jambes.
2. Tournez le corps sur le côté et roulez la tête, sans lever la tête (*figure 1.24*).
3. Prenez appui sur les deux mains et soulevez le corps (*figures 1.25 et 1.26*).

POSTURE ALLONGÉE SUR LE DOS, JAMBES LEVÉES AU MUR
Viparita Karani Mudra

C'est une posture complète aux nombreux bénéfices qui vous est proposée ici pour vous apaiser et vous détendre. Elle peut être pratiquée tout au long de la grossesse.

Fig. 1.27

Fig. 1.28

Fig. 1.29

1. Appuyez le support semi-rigide ou plusieurs couvertures empilées les unes sur les autres contre un mur afin de créer un support d'environ 25 cm de hauteur. Étendez une couverture devant le coussin pour les épaules et la tête.

2. Étendez-vous sur le dos, la hanche et le côté du pied en appui au mur, à côté du support. Appuyez les pieds au mur.

3. En soufflant et en ramenant le support vers vous, soulevez les fesses et placez-les dessus.

4. Glissez les fesses pour les rapprocher du mur. Votre taille et vos fesses reposent entièrement sur le support, avec l'arête du support semi-rigide qui épouse le creux de votre colonne lombaire (bas du dos). Vos épaules se retrouvent ainsi près du support.

5. Allongez les jambes en glissant d'abord les talons. Malgré l'inversion, les fesses et les jambes doivent être en état de repos (*figure 1.27*).

6. Soufflez en roulant les épaules vers l'arrière et en les dirigeant vers le mur. Étendez vos bras de chaque côté du corps.

7. Restez dans cette position pendant 5 minutes en augmentant graduellement la durée à 10 minutes. Fermez les yeux et détendez-vous.

8. Pour quitter la posture, ouvrez les yeux, pliez les genoux en gardant les pieds appuyés contre le mur (*figure 1.28*) et faites glisser les fesses au sol (*figure 1.29*).

9. Roulez sur le côté. Après quelques secondes, asseyez-vous en vous appuyant sur vos mains.

À SURVEILLER !

> Les fesses ne glissent pas en bas du support. Rectifiez la position au besoin.

> Trois courbes doivent être présentes : la première à la jonction entre le mur et les fesses ; la seconde, là où les épaules s'insèrent près du support ; et la troisième à la base du dos (qui ouvre et dégage la poitrine).

> La poitrine est soulevée et dégagée.

> Les jambes sont légèrement séparées.

EFFETS BÉNÉFIQUES

· Calme et favorise une relaxation et une récupération rapides.
· Augmente l'appétit, ce qui est favorable si vous avez des nausées ou des vomissements.
· Réduit l'œdème aux jambes.

CONTRE-INDICATION OU AIDE

Si cette position provoque un malaise, des nausées ou une sensation désagréable, cessez la pratique et remplacez-la par la posture debout (*figure 1.2*).

POSTURE COUCHÉE SUR LE DOS
Viparita Karani Mudra

Il s'agit d'une variante de la posture précédente qui sert lors de la relaxation en fin de séance.

Fig. 1.30

ÉTAPES

1. Préparez le matériel pour exécuter la position. Placez une couverture à l'emplacement de la tête, le coussin semi-rigide à côté de vous et les chaises, côte à côte devant vous, pour supporter les jambes. Étendez-vous sur le dos en roulant sur le côté, les jambes fléchies, les fesses rapprochées des chaises.

2. Levez les jambes une à une et appuyez les mollets sur les chaises. La surface entière des mollets doit y reposer (*figure 1.30*).

3. En soufflant, soulevez les fesses et glissez-y le coussin semi-rigide. Les fesses sont en appui sur toute leur surface. Le bassin et le coccyx sont à l'horizontale. Le ventre est mou et parallèle au sol.

4. Placez la couverture sous votre tête de manière à ce que le front soit légèrement en pente descendante vers le menton.

5. Roulez les épaules vers l'arrière tout en les dirigeant vers les chaises. Ouvrez la poitrine et étendez vos bras de chaque côté du corps en tournant la paume des mains vers le plafond.

6. Restez dans cette position pendant quelques minutes. Fermez les yeux et détendez-vous.

7. Pour quitter la posture, ouvrez les yeux et soulevez le bassin pour retirer le coussin semi-rigide.

8. Ramenez les genoux vers la poitrine, étirez le bras au-dessus de la tête et roulez sur le côté.

9. Après quelques secondes, prenez appui sur les mains et asseyez-vous.

À SURVEILLER !

> Le dos est allongé.

> Les fesses reposent sur le support.

> La poitrine est ouverte et les omoplates disparaissent dans le dos.

EFFETS BÉNÉFIQUES

- Calme et favorise une relaxation et une récupération rapides.
- Augmente l'appétit, ce qui est favorable si vous avez des nausées ou des vomissements.
- Réduit l'œdème aux jambes.

POSTURE DE RELAXATION
Shavasana

La posture de relaxation a pour objet d'immobiliser le corps et de tranquilliser l'esprit. Profitez de cette période pour vous centrer sur votre corps et explorer vos sensations, communiquer avec votre bébé et observer votre respiration.

Fig. 1.31

ÉTAPES

1. Placez le support semi-rigide sous les genoux. Placez une couverture pour la tête (le front devra être en pente légèrement descendante vers le menton).
2. Allongez-vous en roulant sur le côté.
3. Élargissez vos fesses en attrapant la peau sous les ischions (les os pointus sous les fesses) et en l'étirant doucement vers les côtés pour que le bas du dos soit bien appuyé au sol (*figure 1.31*).
4. Relâchez les pieds vers l'extérieur.
5. Relâchez la poitrine, sans qu'elle s'affaisse.
6. Relâchez les jambes sans modifier la posture.
7. Les bras sont allongés à un angle d'environ 60° avec la poitrine. Faites une rotation de la partie supérieure de vos bras, de vos coudes et de vos poignets afin que les paumes des mains soient tournées vers le plafond et que les mains reposent sur la jointure du centre de la main.
8. Assurez-vous que c'est le centre arrière de votre crâne qui est en contact avec le sol.
9. Portez attention à la symétrie de votre corps. Permettez à vos paupières supérieures de s'abaisser sur les paupières inférieures, relâchez les globes oculaires dans leurs ouvertures et relâchez toute tension accumulée autour des yeux, des tempes et des lèvres.

EFFETS BÉNÉFIQUES
- Procure de l'énergie au corps et à l'esprit.
- Soulage les tensions.
- Facilite le contact avec la respiration et les sensations.

CONTRE-INDICATION OU AIDE :

VARIANTE DE LA POSTURE ALLONGÉE SUR LE DOS

Si vous ressentez de l'inconfort à pratiquer la posture allongée sur le dos, c'est peut-être en raison d'une compression de la veine cave, la veine principale qui assure le retour veineux du bassin vers le cœur. Optez alors pour la posture allongée sur le côté, qui peut être pratiquée jusqu'à la fin de la grossesse (*figure 1.32*).

Fig. 1.32

À SURVEILLER !

> Le genou est à 90° avec la jambe.
> La jambe pliée est soutenue sur toute sa longueur.

DES SOLUTIONS À CERTAINS PROBLÈMES

Vous trouverez dans les paragraphes suivants des solutions à quelques problèmes susceptibles de survenir au cours de la grossesse.

Le déficit en magnésium

Le magnésium est un oligo-élément indispensable à la vie qui est responsable de nombreux mécanismes permettant entre autres le fonctionnement musculaire et la coagulation sanguine. Il travaille de pair avec le calcium : le magnésium relâche les muscles alors que le calcium stimule la contraction. Pendant la grossesse, le magnésium aide à construire et à réparer les tissus du corps. En quantité optimale, il pourrait être impliqué dans la prévention de l'hypertension[10], des crampes aux jambes[11], de la pré-éclampsie (hypertension artérielle chez la femme enceinte), des contractions utérines prématurées, des retards de croissance intra-utérine et des hémorragies avant le travail[12].

Des études démontrent qu'une partie importante de la population souffre d'une carence en magnésium, un état que les dépistages par tests sanguins ne peuvent révéler, car seulement 1 % du magnésium du corps est emmagasiné dans le sang. C'est davantage par la présence de certains symptômes que la carence peut être décelée : constipation, crampes aux jambes, spasmes, fatigue, insomnie, tensions musculaires, douleurs au dos, au cou ou à la mâchoire, céphalées de tension, nausées, vomissements et perte d'appétit, entre autres.

La dose recommandée de magnésium est d'environ 350 à 400 mg par jour pour les femmes âgées entre 19 et 40 ans, mais il est parfois nécessaire de doubler ou de tripler cette quantité en présence de certains symptômes. Bien qu'une alimentation saine puisse combler les besoins en magnésium, le mauvais choix d'aliments combiné à la piètre qualité des aliments consommés peut faire en sorte que des suppléments alimentaires soient nécessaires. Les quelques aliments suivants sont riches en magnésium : les amandes, les noix de cajou, les graines de citrouille et de tournesol, les épinards et le saumon. Consultez un naturopathe pour être conseillée.

La constipation

Certaines femmes enceintes vivent le désagrément de la constipation. Le cas échéant, ajoutez à votre régime des aliments complets riches en fibres (blé entier, son de maïs ou d'avoine), des légumes et des fruits frais ou séchés (pruneaux, figues, raisins, abricots, etc.) et ajustez votre apport de magnésium.

La pratique de la posture accroupie est également indiquée pour favoriser le transit intestinal (*figure 1.22*).

Les crampes aux mollets

Les crampes aux mollets sont fréquentes et douloureuses. Pour les prévenir, ajustez votre apport en magnésium, évitez de pointer les pieds et surveillez la circulation sanguine. Pour faire disparaître les crampes aux mollets, pratiquez la posture debout (*figure 1.3*) et la posture assise jambes allongées (*figure 1.9*). Vous pouvez également étirer les mollets de la façon décrite ici.

Fig. 1.33

ÉTAPES
1. Un pied à plat au sol, glissez le pied de la jambe douloureuse aussi loin que possible vers l'arrière (*figure 1.33*).
2. Pliez légèrement l'autre jambe.
3. Revenez à la position initiale.
4. Répétez plusieurs fois cet exercice.

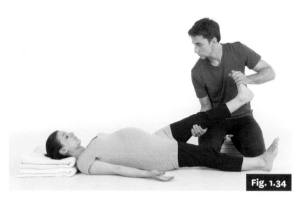

Fig. 1.34

Quelqu'un devra vous aider à faire cet étirement.

ÉTAPES

1. Étendez la jambe douloureuse.
2. Demandez à votre partenaire de supporter doucement le genou d'une main et d'exercer avec l'autre main une pression sur la plante de votre pied, jusqu'à ce que celui-ci forme un angle de moins de 90° avec la jambe (*figure 1.34*).
3. Maintenez cette pression pendant 5 à 10 secondes.
4. Répétez plusieurs fois.

LES MAUX DE DOS

Afin de prévenir les maux de dos, nous vous proposons dans les prochains paragraphes quelques conseils pour protéger les abdominaux, faciliter la détente, soulever des charges et relâcher les tensions du bas du corps.

PROTÉGER LES MUSCLES ABDOMINAUX

L'abdomen est fermé sur le devant par une paroi abdominale constituée de plusieurs couches musculaires. La couche superficielle est composée des grands droits, des muscles qui, sous les efforts violents et la grossesse, ont tendance à s'écarter de la ligne centrale.

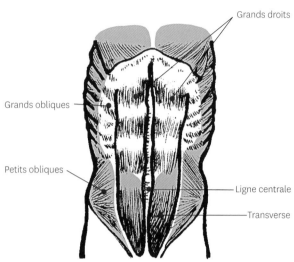

Grands droits

Grands obliques

Petits obliques

Ligne centrale

Transverse

Ill. 1.2

Fig. 1.35

Fig. 1.36

Pour éviter l'écartement des grands droits et la descente des organes :
· Faites votre séance de yoga régulièrement.
· Évitez certains mouvements (*figures 1.35 et 1.36*) ;
· Roulez sur le côté quand vous passez de la posture allongée à la posture assise.
· Avant tout effort, contractez le périnée sur l'expiration en serrant les jambes et les fesses.
· Prenez du poids raisonnablement (maximum 10 kg).

RELAXER AU SOL OU DANS UN LIT
Pour faciliter la relaxation au sol ou au lit et éviter l'accumulation de tensions au dos, pratiquez cette position.

Fig. 1.37

ÉTAPES
1. Pliez en deux un oreiller et appuyez-le au mur. Il servira à supporter la région lombaire (bas du dos).
2. Placez un autre oreiller en long, pour appuyer les épaules (*figure 1.37*).
3. Jambes écartées et fléchies, placez des oreillers sous les genoux, le premier plié en deux et l'autre placé en long.
4. Respirez doucement et détendez-vous.

SOULEVER UN POIDS DE MANIÈRE ADÉQUATE
Pour prévenir les maux de dos et préserver votre équilibre, voici quelques indications que vous pouvez mettre en pratique chaque fois que vous soulevez des poids[13].

Fig. 1.38   Fig. 1.39

Fig. 1.40   Fig. 1.41

1. Placez-vous face à l'objet à soulever et encadrez le poids en rapprochant votre centre de gravité de celui-ci (*figure 1.38*).
2. Écartez les pieds et les genoux afin d'augmenter votre équilibre et de dégager l'abdomen.
3. Orientez les pieds dans le sens du déplacement prévu. Ne tournez pas le corps en soulevant le poids.
4. Pliez les genoux tout en gardant le dos droit et servez-vous de la force des jambes pour soulever l'objet (*figure 1.39*).
5. Assurez-vous d'une bonne prise. Utilisez la base des doigts et la paume des mains pour saisir la surface la plus étendue possible.
6. Gardez les bras tendus. Utilisez-les pour contrôler l'équilibre du poids, mais pas pour soulever l'objet.
7. Verrouillez le bassin en position aplatie (dos allongé) comme dans la posture debout (*figure 1.3*). Ainsi, la charge est distribuée sur toute la longueur de la colonne vertébrale.
8. Envoyez la tête vers l'arrière, menton vers la poitrine. Ce mouvement facilite le maintien d'un dos droit.
9. Soulevez le poids sur une expiration profonde complète en contractant d'abord le périnée[14, 15] (*figures 1.40 et 1.41*).

SOULEVER UN JEUNE ENFANT

Fig. 1.42

ÉTAPES

1. Serrez l'enfant contre vous (*figure 1.42*).
2. Pliez les jambes.
3. Gardez le dos droit.
4. Descendez le sacrum comme dans la posture debout (*figure 1.2*).

Les muscles fessiers endoloris

Les muscles fessiers reçoivent une grande partie des tensions du bas du corps. Pour les relâcher, nous avons recours au point d'acupuncture VB30 (*illustration 1.3*) pour disperser ces tensions accumulées. Plus la zone réflexe est sensible au toucher, plus le massage est utile.

Fig. 1.44

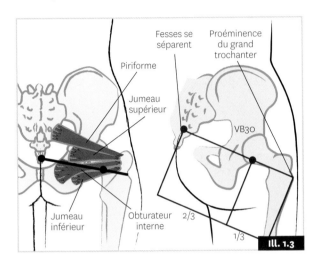

Fesses se séparent
Proéminence du grand trochanter
Piriforme
Jumeau supérieur
VB30
Jumeau inférieur
Obturateur interne
2/3
1/3
Ill. 1.3

Fig. 1.45

MASSAGE DES MUSCLES FESSIERS

Fig. 1.43

Fig. 1.46

ÉTAPES

1. Couchez-vous sur le côté droit.
2. Allongez la jambe droite en dessous.
3. Pliez la jambe gauche au-dessus.
4. Reposez le pied gauche derrière le genou droit.
5. Vous pouvez placer un oreiller sous le genou gauche.

Fig. 1.47

Localiser le point VB30 (*illustration 1.3*).

ÉTAPES

1. Longez le côté de la jambe, la main à plat, jusqu'à ce que vous sentiez la protubérance du grand trochanter, à la tête du fémur. Placez le doigt juste au-dessus de cette bosse.
2. Imaginez le lieu de séparation des fesses.
3. Imaginez une ligne entre ces deux points et séparez-la en trois parties égales.
4. Le point qui correspond au premier tiers, près du grand trochanter, est le VB30.
5. Appliquez une pression avec le doigt pendant 30 secondes.
6. Relâchez.
7. Répétez trois fois.

Si la stimulation est trop désagréable, massez avec la paume de la main plutôt qu'avec le pouce. Mains à plat, faites de grands mouvements partant du VB30 et montant vers les côtes (*figures 1.44 et 1.45*) et descendez ensuite le long de la jambe (*figures 1.46 et 1.47*). Les tensions sont ainsi réparties sur une plus grande surface sans créer d'inconfort.

Vous pouvez appliquer de l'huile chinoise à base d'eucalyptus, de menthol, ou du baume du tigre (rouge ou blanc) pour détendre ces muscles.

Plus le VB30 est sensible, plus vous avez avantage à le masser souvent et en profondeur pendant quelques minutes, tous les jours si possible. Le VB30 est d'un grand secours pour soulager le bas du corps pendant la grossesse et pour moduler la douleur lors des contractions de l'accouchement. Consultez le chapitre 6, p. 101, pour en savoir davantage.

Le périnée tendu

Le périnée est l'ensemble complexe des muscles qui ferment le bassin. Il est composé du périnée superficiel, qui comprend les muscles des orifices (vulve, méat urinaire, anus), et du périnée profond (*illustration 1.4*). Le périnée profond est composé de muscles extrêmement résistants qui s'opposent aux pressions vers le bas des organes et des viscères de l'abdomen. Il agit comme une toile de trampoline et est particulièrement sollicité pendant la grossesse et l'accouchement.

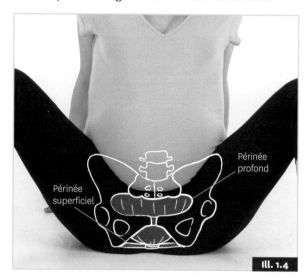

Périnée profond

Périnée superficiel

Ill. 1.4

Un périnée profond tendu augmente les douleurs pendant la grossesse et lors de l'accouchement. L'exercice suivant vous aide à prendre conscience de la différence entre un périnée profond tendu et un périnée profond relâché. À l'accouchement, relâchez les fesses et la langue. Laissez sortir l'air sans résister.

ÉTAPES

1. Prenez une position assise, dos droit (*illustration 1.4*).
2. Contractez les fesses sur l'expiration. Observez les sensations dans votre ventre, dans les fesses, au sacrum et finalement dans votre périnée. C'est le périnée profond tendu.
3. Pour le relâcher, laissez votre langue et vos fesses molles. Le ventre est mou, le périnée est souple, le sacrum respire.

4. Si vous avez de la difficulté à sentir le périnée profond, soufflez (expirez) par la bouche en serrant les lèvres. La pression que vous sentez dans le bas du bassin correspond à la contraction du périnée profond, en réaction à la pression exercée par le souffle[16].

5. Pour détendre le périnée, pratiquez la même expiration en soufflant par la bouche et en relâchant les lèvres. Cette fois, relâchez les muscles des fesses. La sensation sur le périnée est moindre (plus nette et moins désagréable), parce que vous l'avez détendu.

Pendant la grossesse, créez de l'espace dans votre sacrum en pratiquant la posture debout (*figure 1.2*). Cette posture évite les tensions dans le muscle piriforme et la compression du nerf sciatique. Vous ne devez pas ressentir de poids sur le périnée sauf à la fin de la grossesse, quand le bébé commence à descendre dans le bassin, ou lors d'efforts importants (vomissements, éternuements, toux). Consultez votre professionnel de la santé si vous avez besoin de soutien.

LE MASSAGE DES MUSCLES DU PÉRINÉE

Ce massage vise une partie du périnée superficiel et la partie inférieure du périnée profond que l'on peut sentir à l'entrée du vagin. Il offre un moyen de préparer ces muscles à l'étirement qui sera occasionné par l'expulsion du bébé. Il permet aussi de minimiser le risque de souffrir de lésions pendant l'accouchement et de douleur périnéale continue en période postnatale[17].

Un autre objectif du massage est d'étirer les muscles du plancher pelvien et de les désensibiliser pour que vous puissiez pousser sans être gênée par la sensation de brûlure occasionnée par l'expulsion. Enfin, le massage permet à la mère de faire connaissance avec cette zone du corps que beaucoup de femmes ignorent et n'osent pas toucher.

Pour être efficace, le massage doit être pratiqué régulièrement, à compter de la trente-deuxième semaine ou même avant[18]. Ce massage peut être pratiqué autant par la femme que par son partenaire. Il suffit que les deux soient en accord. Pendant le massage, imaginez les muscles qui se relâchent et

répétez-vous mentalement : « J'ouvre le passage pour mon bébé », « Mon périnée est souple et détendu ».

Ce massage de 3 à 4 minutes peut être pratiqué dans un bain chaud, sous la douche ou au lit. Si vous avez du mal à localiser le périnée et l'ouverture du vagin, installez-vous confortablement sur des oreillers et, à l'aide d'un miroir, examinez les différentes parties de la vulve. Le massage se fera sur la région du périnée située entre l'ouverture du vagin et l'anus (*illustration 1.5*). Pour vous aider, utilisez une huile d'amande douce, de noix de coco, de la vitamine E ou un lubrifiant naturel.

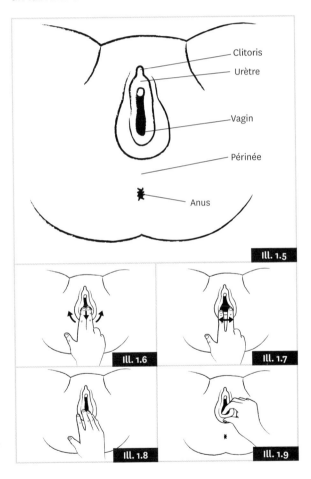

Ill. 1.5 — Clitoris, Urètre, Vagin, Périnée, Anus

Ill. 1.6

Ill. 1.7

Ill. 1.8

Ill. 1.9

1. Lavez-vous les mains.
2. Huilez le périnée et le rebord inférieur du vagin.
3. Insérez l'index et le majeur ou le pouce à l'intérieur du vagin (3 à 4 cm).
4. Faites des demi-cercles en appuyant sur le plancher pelvien vers l'anus et les côtés pendant 30 secondes (*illustration 1.6*).
5. Délicatement, relâchez l'ouverture tout en appuyant et en étirant, à l'aide de l'index et du majeur, jusqu'à ce qu'une légère sensation de brûlure ou de picotement se fasse sentir (*illustration 1.7*).
6. Maintenez cette pression et cet étirement pendant 1 minute pour que la zone s'engourdisse (qu'elle devienne moins sensible). Vous pourrez constater les effets après 2 ou 3 semaines de massage.
7. Massez le périnée pendant 30 secondes en faisant des mouvements circulaires ou de balayage (*illustration 1.8*). S'il y a lieu, concentrez vos mouvements sur la cicatrice d'une précédente épisiotomie, car ce tissu est moins élastique (*illustration 1.9*).
8. Lavez mains et vulve. Relâchez les muscles du visage, de la bouche et des jambes pendant la pratique du massage. Visualisez le périnée qui s'étire et répétez mentalement: «J'ouvre le passage pour mon bébé. Mon périnée est souple et détendu.»

CONTRE-INDICATION

Ne pratiquez pas le massage du périnée si vous avez eu des lésions ou souffert d'herpès actif durant votre grossesse actuelle, ou si vos membranes se sont rompues prématurément. Consultez d'abord votre professionnel de la santé.

LA POSITION DU BÉBÉ DANS L'UTÉRUS

La présentation optimale du bébé en début de travail est celle où il a le sommet de la tête vers le bas et le dos allongé contre le devant de votre ventre (position occipito-iliaque antérieure, *illustration 1.10*).

Cette présentation optimale lui permet de fléchir la tête en rentrant le menton et de franchir les différents détroits du bassin avec la plus petite partie de sa tête. Ainsi positionné, le travail démarre mieux, est moins intense et de plus courte durée.

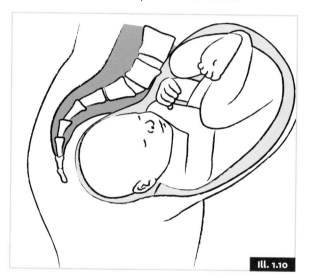

Ill. 1.10

Quelques conseils pour favoriser le positionnement optimal du bébé

Fig. 1.48

- Pratiquez les postures de yoga tous les jours, car c'est ainsi que vous ouvrez le bassin, créant l'espace nécessaire pour recevoir le bébé. Lorsque les articulations sont souples et que le bassin est symétrique et dans l'axe juste, il est plus facile pour le bébé de s'engager de la manière optimale.
- Demeurez active et, surtout, pratiquez des positions où le ventre est dans le vide, ce qui facilitera la rotation du dos du bébé (la partie la plus pesante de son corps) vers l'avant (*figure 1.48*).
- Évitez le canapé. Asseyez-vous plutôt au sol, en allongeant le dos (*voir la section sur les postures assises, p. 19*).
- Évitez de dormir sur le dos, dans la mesure du possible.
- Ne croisez pas les jambes, ce qui aura pour effet de déséquilibrer le bassin et d'en changer l'axe.
- Une fois le bébé bien aligné dans l'axe du bassin, faites de longues marches pour maintenir le bébé en place.

Malgré ces précautions, il est possible que le bébé se présente dans de nombreuses variantes de la position occipito-iliaque antérieure. Les déviations les plus fréquentes sont :
- Le dos du bébé contre le vôtre (position occipito-postérieure).
- Les fesses vers le bas (présentation de siège).

Pratiquez les mouvements suivants qui, selon certaines études scientifiques, se sont révélés efficaces. En même temps, il serait prudent de consulter votre professionnel de la santé (sage-femme, médecin, acupuncteur, ostéopathe ou obstétricien) qui aura d'autres positions ou options à vous proposer.

Un bébé en position occipito-postérieure

Parfois le bébé se positionne la tête vers le bas, son dos tourné contre le vôtre (*illustration 1.11*).

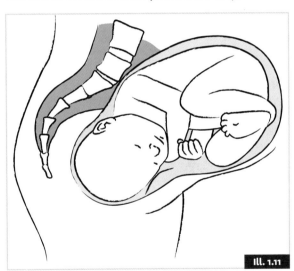

Ill. 1.11

LA POSTURE À QUATRE PATTES

Pour aider un bébé en position occipito-postérieure à tourner son dos vers votre ventre, placez-vous à quatre pattes et laissez pendre votre ventre dans le vide (*figure 1.49*). En même temps, pratiquez de légères bascules de votre bassin[19].

Fig. 1.49

UN BÉBÉ EN SIÈGE

Autour de 36 semaines, le bébé est souvent placé la tête vers le bas. S'il ne l'est pas, la pratique des positions suivantes permettra de désengager les fesses du bébé de votre bassin pour faciliter la rotation de sa tête vers le bas. Ces postures sont contre-indiquées pour les femmes souffrant d'hypertension et lorsque le bébé a déjà la tête placée vers le bas.

LA POSTURE À GENOUX, TÊTE AU SOL, FESSIER RELEVÉ

Plusieurs recherches[20, 21] ont démontré que lorsque la position à genoux, tête au sol, fessier relevé est pratiquée trois fois par jour à raison de 15 minutes, à partir de la trente-sixième ou de la trente-septième semaine, la probabilité de faire tourner un bébé en siège est meilleure que celle du groupe sans pratique.

Fig. 1.50

ÉTAPES

1. Mettez-vous à genoux en gardant les épaules près du sol (*figure 1.50*).
2. Restez dans cette position de 2 à 5 minutes.

LA POSTURE INVERSÉE, LES PIEDS SUR UNE CHAISE

Fig. 1.51

Fig. 1.55

Fig. 1.52

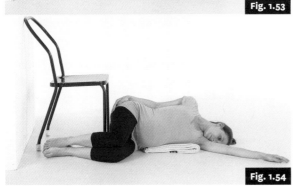

Fig. 1.53

Fig. 1.54

ÉTAPES

1. Appuyez le dossier d'une chaise contre le mur.
2. Placez une ou plusieurs couvertures là où les épaules reposeront au sol. En position finale, la ligne des cheveux touche le rebord de la couverture.
3. Asseyez-vous devant la chaise.
4. Posez les mollets sur le siège et rapprochez les fesses près de la chaise.
5. Attrapez les pattes de la chaise avec les mains et étirez les bras. Descendez le haut du corps sur la couverture (*figure 1.51*).
6. Placez les pieds sur l'extrémité du siège (*figure 1.52*).
7. Ajustez la distance des couvertures pour que la limite des cheveux touche le rebord de la couverture. Au besoin, roulez sur le côté et recommencez les étapes du début.
8. Expirez en soulevant le bassin (*figure 1.53*).
9. Roulez les épaules vers l'extérieur de manière à dégager la poitrine.
10. Tenez la posture de 10 à 15 secondes.
11. Déposez lentement le bassin au sol, lâchez la chaise, levez le bras et roulez sur le côté (*figure 1.54*).
12. Faites une pause sur le côté avant de vous asseoir.

Les résultats peuvent se manifester dans les 3 semaines qui suivent le début de la pratique de la posture.

EXERCICES PRATIQUES

Voici un enchaînement de postures de yoga d'une durée d'environ 20 minutes qu'il vous est suggéré d'exécuter quotidiennement. Pratiquées régulièrement, ces postures sont bénéfiques: elles améliorent votre qualité de vie en soulageant vos malaises et elles contribuent à réduire les complications pendant la grossesse et l'accouchement.

1. **POSTURE ALLONGÉE SUR LE DOS, JAMBES LEVÉES AU MUR**
(Viparita Karani Mudra)
(VOIR P. 29)

2. **POSTURE DE LA CHAISE APPUYÉE AU MUR**
(Utkatasana)
(VOIR P. 20)

3. **POSTURE ASSISE SUR UNE CHAISE APPUYÉE AU MUR**
(VOIR P. 20)

4. **POSTURE ACCROUPIE**
(Malasana)
(VOIR P. 27)

5. **POSTURE À GENOUX, APPUYÉE VERS L'AVANT**
(Adho Mukha Virasana)
(VOIR P. 26)

6. **POSTURE ASSISE, JAMBES EN PAPILLON**
(Badha Konasana)
(VOIR P. 23)

7. **POSTURE ASSISE AU SOL, JAMBES ÉCARTÉES**
(Upavishta Konasana)
(VOIR P. 24)

8. **POSTURE ASSISE, JAMBES ALLONGÉES**
(Dandasana)
(VOIR P. 21)

9. **POSTURE DEBOUT, JAMBE SUR LE CÔTÉ**
(Marychyasana 1)
(VOIR P. 18)

10. **POSTURE COUCHÉE SUR LE DOS**
(Viparita Karani Mudra)
(VOIR P. 31)

11. **POSTURE ASSISE SUR LES GENOUX**
(Virasana)
(VOIR P. 25)

12. **POSTURE DE RELAXATION**
(Shavasana)
(VOIR P. 32)

CHAPITRE 2

LA MODULATION DE LA DOULEUR

Accoucher est un événement intense, tout le monde vous le dira. Quand on attend un enfant, chacun parle de sa propre expérience, et les histoires qu'on entend ne sont pas toujours les plus heureuses. C'est le syndrome du salon de coiffure, diraient certains. D'abord, la grossesse que vous vivez est unique et elle vous appartient. Votre expérience sera influencée par de nombreux facteurs physiologiques et psychologiques. Pour rester centrée sur votre grossesse, choisissez et filtrez les informations auxquelles vous êtes exposée.

Très souvent, la douleur inquiète. Aura-t-on les ressources nécessaires pour y faire face? Pourquoi souffrir alors qu'il existe des solutions pharmacologiques qui, la plupart du temps, soulagent la douleur à 100%? Il est vrai que les sensations intenses de l'accouchement sont très importantes[22]. Cependant, la naissance ne se résume pas qu'à ces sensations. C'est un moment important dont une femme se souviendra tout au long de son existence et surtout, l'opportunité de se découvrir et d'activer des ressources qu'elle ignore parfois. C'est aussi le début d'une relation d'amour et d'attachement entre les parents et le nouveau-né.

Le phénomène de la douleur est fascinant, mais ce qui l'est encore plus, c'est la capacité que nous possédons tous de modifier ces messages intenses. La découverte des mécanismes qui modulent la douleur clarifie la manière dont les femmes composent avec la douleur depuis des millénaires.

Depuis quelques décennies, on considère qu'un accouchement est réussi si la mère et son bébé vont bien et que l'accouchement se fait sans douleur. Or, pour assurer la survie de notre espèce à travers le temps, en plus d'un bébé et d'une mère en santé, il a fallu s'assurer de l'attachement entre la mère et l'enfant (car il exige beaucoup de soins) et du succès de l'allaitement, qui est parfois l'unique moyen dont disposent les femmes pour nourrir leur enfant. Chaque geste ou intervention qu'on fait doit donc prendre en compte son impact potentiel sur ces trois pôles : la santé, l'attachement et l'allaitement. C'est pourquoi les mesures de confort non pharmacologiques, en raison de leur efficacité, de leur caractère sécuritaire et de l'absence d'effets indésirables, sont importantes pour les femmes et leur bébé, car elles ne perturbent en rien l'équilibre délicat entre ces trois pôles.

Ce chapitre repose sur quatre postulats :

1. Accoucher est une expérience intense.
2. La femme dispose en elle-même de toutes les ressources nécessaires pour composer avec les sensations intenses.
3. Afin d'activer efficacement les mécanismes qui permettent de moduler les sensations, une préparation et un soutien sont souhaitables. En effet, ces mécanismes sont, le plus souvent, méconnus ou oubliés et le contexte moderne dans lequel les femmes donnent naissance ne les favorise pas.
4. Il est possible que les mécanismes ne suffisent pas pour réduire les sensations intenses des contractions. À ce moment, les approches pharmacologiques peuvent aider.

Sommaire du chapitre 2 : La modulation de la douleur

OBJECTIFS	MOYENS
Comprendre le rôle des sensations intenses, lors du travail et de l'accouchement	› Connaissance des origines et de l'utilité des sensations intenses de l'accouchement › Connaissance des composantes de la douleur
Se familiariser avec les mécanismes de modulation de la douleur	› Connaissance des récentes découvertes sur la modulation de la douleur
Comprendre pourquoi et comment agissent les techniques pour moduler la douleur : postures, respirations, massages, relaxation, imagerie mentale, environnement, placebo, odeurs, musique, soutien	› Connaissance de diverses techniques servant à moduler la douleur

Comprendre le phénomène de la douleur aide la femme et son partenaire à composer avec les sensations intenses des contractions.

Avant d'aborder les ressources permettant de moduler les sensations, voyons les facteurs qui influent sur les sensations du travail ainsi que leur origine et leur utilité.

LA DOULEUR

Se questionner sur le sens de la douleur à l'accouchement est profitable, car c'est ce qui permet de faire face à ses préoccupations, à ses peurs, à ses croyances et à ses valeurs. Reconnaître que la douleur a un sens et qu'elle joue un rôle lors de la naissance influe sur le vécu de cet événement important pour la transition d'une famille.

Les rôles de la douleur

La douleur est définie comme «une expérience physique et émotionnelle désagréable en relation avec une lésion réelle ou potentielle[23]». De manière générale, la douleur joue un rôle fondamental en nous protégeant de menaces réelles ou potentielles. Elle nous avise que quelque chose d'important se produit et nous incite à chercher de l'aide. Elle est à l'origine de la majorité des consultations médicales.

Contrairement à d'autres types de douleur, les sensations fortes que la femme vit en travail ne signifient pas une menace, un danger, une maladie ou une anomalie. Elles la préviennent plutôt qu'un événement extraordinaire se prépare dans son corps et l'incitent à se mettre à l'abri pour trouver un environnement sécuritaire et paisible où donner naissance. Elles l'obligent à s'arrêter pour prendre conscience de l'importance de l'événement qui se prépare: la mise au monde d'un être humain.

La douleur donne aussi des informations précieuses sur la progression du travail. Lorsque la femme peut émettre des sons et changer de position à sa guise, son comportement permet d'identifier la progression du travail. Quand la mère ressent une pression désagréable dans son corps, elle cherche à se positionner autrement. Cet ajustement est souvent utile pour aider le bébé à franchir les différents détroits et passages du bassin qui le mèneront vers le monde extérieur. Sans l'aide de la pharmacologie, le réflexe d'expulsion du fœtus peut se manifester[24]. Ce sont les sensations nettes et intenses que ressent la mère à ce moment précis qui la guident dans ses efforts expulsifs.

Une femme qui compose efficacement avec ses contractions, en se servant de ses ressources intérieures, éprouve une grande satisfaction qui renforce son sentiment de compétence et sa confiance à faire face aux défis d'être parent[25].

En médecine, on documente parfois la cascade négative des interventions obstétricales qui peuvent survenir lorsque la douleur est mal gérée (stress-peur, anxiété, douleur, péridurale ou analgésiques, hormones synthétiques, diminution de sensations, forceps, ventouses, épisiotomie, etc.). En fait, une cascade positive peut survenir lorsque la femme et son partenaire préparent et vivent un accouchement dans lequel ils ont la perception d'avoir donné le meilleur d'eux-mêmes. On pourrait la décrire comme suit: une mère et son partenaire préparés vivent ensemble le travail, composent avec les contractions en utilisant plusieurs mécanismes endogènes, se sentent «acteurs» et non «observateurs» de la naissance, sont fiers d'eux-mêmes et de l'autre, ont un sentiment d'efficacité personnelle augmenté (estime de soi), ce qui a pour effet de renforcer leur couple et leur capacité à être de bons parents.

L'origine de la douleur

Bien qu'il soit vrai que la peur exacerbe les sensations intenses de l'accouchement, il est important de préciser que d'autres facteurs physiologiques sans lien avec la peur sont à l'origine de ces sensations. Lors du premier stade du travail, la dilatation du col de l'utérus, l'étirement du segment inférieur de l'utérus et les pressions sur les structures adjacentes activent les fibres responsables des sensations potentiellement douloureuses[26]. Ici, le trajet que suit le message probablement douloureux est typique d'une «douleur reportée», c'est-à-dire une douleur qui se manifeste sur le site d'où émane la douleur et ailleurs.

L'utérus, un viscère, est relativement insensible; un important étirement cause non pas une douleur à cet organe, mais une douleur reportée, correspondant aux surfaces du corps reliées aux segments nerveux qui entrent dans la moelle au même niveau que ceux de l'utérus. Ne sachant pas distinguer la provenance des signaux, le cerveau envoie des messages douloureux sur toutes les surfaces correspondant à ces segments nerveux. C'est ce qui explique la sensation intense qui se fait alors sentir dans le bas du ventre et dans le bas du dos, lors d'une contraction.

Durant la deuxième période du travail, les sensations intenses sont causées par la traction du bassin, par les étirements des muscles du périnée et de la cavité pelvienne et enfin par la pression forte sur les racines des nerfs du bas du dos. La perception de ces sensations est rapide et localisée, surtout dans les régions du périnée et de l'anus, sur la partie basse du sacrum, sur les cuisses et les parties inférieures des jambes.

Contrairement à d'autres types de douleur, celle liée aux contractions n'indique habituellement pas la présence d'une pathologie. La force de la contraction ne «brise» rien à l'intérieur du corps. Elle sert plutôt de guide pour faire progresser le travail et agit avec les autres outils du corps pour s'adapter au processus physiologique.

Les facteurs qui influent sur la perception de la douleur

La peur et l'anxiété liées à la naissance comptent parmi les facteurs qui influencent le plus l'expérience de la douleur. Une connaissance juste des mécanismes associés au déroulement physiologique du travail et de l'accouchement réduit les peurs et les angoisses, donc les sensations. Quand la mère se sent protégée et en sécurité, elle lâche prise et s'abandonne aux contractions, ce qui facilite son travail.

De plus, la présence continue d'un partenaire préparé auprès de la femme contribue à la rassurer et à la soulager[27, 28]. Plus elle a confiance en ses habiletés à faire face à l'accouchement, meilleures sont ses réactions[29, 30]. Le soutien d'une doula[31] (accompagnante professionnelle), d'une personne proche ou du personnel médical (médecins, sages-femmes, infirmières) qui propose une panoplie d'outils a le même effet positif sur la mère. Des chercheurs ont démontré que le soutien continu, physique, émotionnel et moral contribue à améliorer la satisfaction de la mère et l'issue de la naissance[32] (réduction des césariennes, forceps, ventouses, analgésiques, syntocinon, etc.).

La préparation prénatale qui comprend la préparation physique, émotionnelle et psychologique jouera un rôle important dans le décodage et la perception des sensations en travail.

Éliminer la douleur ou composer avec elle?

En général, les professionnels de la santé qui gravitent autour de la femme en travail sont bienveillants. En plus d'intervenir pour favoriser la santé et la sécurité de la mère et de l'enfant, ils souhaitent soulager la femme de sa douleur. Ce modèle médical est basé sur l'élimination de la douleur, tenant pour acquis que la douleur n'est pas utile et que la satisfaction de la mère en dépend. En effet, selon ce modèle, si le bébé et la mère sont en santé et que la femme n'a pas senti de douleur, elle sera forcément satisfaite de son accouchement. Or, les recherches démontrent que la satisfaction de la femme à l'accouchement dépend de quatre facteurs:

· sa relation avec le personnel soignant;
· la quantité de soutien qu'elle reçoit de leur part au moment du travail et de l'accouchement;
· sa participation aux décisions;
· la prise en compte de ses souhaits de naissance[33].

Si elle désire expérimenter différentes options pour composer avec ses sensations intenses (bain, massages, positions, respirations) et qu'elle n'est pas soutenue dans son projet, elle sera vraisemblablement déçue, même si elle n'a rien senti. Des scientifiques proposent de remplacer le paradigme «d'éliminer la douleur» par celui de soutenir les femmes afin qu'elles «composent avec leur douleur[34]». Dans tous les cas, il n'est pas question que la mère souffre, car une douleur trop intense qui dure trop longtemps peut affecter la mère et son bébé[35] ainsi que le déroulement du travail[36, 37].

La souffrance est une incapacité à activer ses propres moyens pour soulager la douleur ou une insuffisance de moyens pour faire face à la situation[38]. Vivre les sensations, faire des sons, bouger et respirer fort n'indiquent pas forcément une détresse maternelle.

Afin de prévenir la souffrance, utilisons le modèle circulaire de la douleur du Dr Serge Marchand comme outil pour décoder les sensations intenses que vit la femme en travail.

Le modèle circulaire de la douleur

Le modèle circulaire de la douleur[39] du Dr Serge Marchand illustre les composantes de la douleur et leurs interrelations.

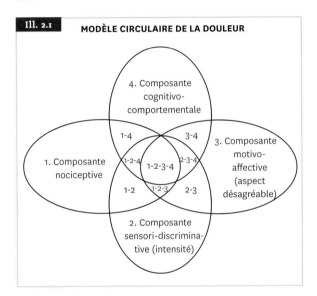

La douleur comporte au moins quatre composantes :

1. La **composante nociceptive** est la lésion réelle ou potentielle. Elle n'est pas toujours présente, ni connue. Dans le cas de l'accouchement, elle consiste en l'étirement du col de l'utérus, des ligaments, des muscles, des structures et des tissus, même s'il n'y a pas de lésions comme telles.

2. La **composante sensori-discriminative** (physique) permet de ressentir l'intensité et le seuil de la douleur. Elle peut être modulée par différents procédés comme les massages douloureux et non douloureux, le mouvement, les bains et la pharmacologie (la péridurale, par exemple).

3. La **composante motivo-affective** (psychologique) permet de juger de l'aspect désagréable (déplaisant) de la douleur. Même si cette composante est liée à la composante physiologique, elle est beaucoup plus facilement modifiée par des techniques psychologiques[40]. La déviation de l'attention, le soutien, les émotions, la relaxation, les odeurs, l'auto-hypnose et les pensées, entre autres moyens, modulent l'aspect désagréable de la douleur. C'est grâce à cette composante qu'on sait si la personne « souffre » ou si elle « compose » avec sa douleur.

   L'intensité et l'aspect désagréable de la douleur sont des composantes soutenues par deux voies nerveuses séparées et distinctes. Donc, une même douleur peut être perçue comme étant très intense mais peu désagréable, ou l'inverse. La douleur associée à un événement heureux, comme la naissance, est souvent plus intense que désagréable[41]. Les femmes en travail qui composent avec leurs sensations vous diront que ce qu'elles ressentent est très intense (composante 2), mais qu'elles vont bien (composante 3 : aspect désagréable). Une femme qui ne sent plus ses contractions grâce à une péridurale alors qu'elle avait comme projet de vivre ses contractions pourrait être soulagée de l'intensité de la douleur (composante 2), tout en vivant une douleur émotionnelle désagréable (composante 3).

4. La **composante cognitivo-comportementale** est la manière dont la personne exprime son expérience de la douleur. Cette composante est fortement influencée par les facteurs culturels. La famille apparaît sans contredit comme la plus importante source de conditionnement face à la douleur. La mémoire des expériences douloureuses passées (la nôtre ou celle de notre mère, par exemple), les réactions émotives socialement correctes, la compréhension de la douleur et les moyens d'y faire face sont autant de facettes conditionnées par notre environnement culturel. Si on cherche à savoir comment une femme vit ses contractions, son comportement peut être trompeur puisqu'il traduit des conditionnements appris, influencés par sa culture, son expérience et son environnement. Par exemple, les femmes

autochtones s'expriment peu lors du travail, car dans leur culture, le fait de crier éloigne l'esprit du bébé qui veut s'incarner.

Il faut donc éviter de présumer de la douleur ou de quantifier les sensations que vit la femme, mais plutôt lui demander de les évaluer[42]. Comme c'est une perception, seule la femme en travail peut dire si elle va bien ou pas.

Le modèle circulaire de la douleur suggère donc deux concepts :

1. Les composantes ne sont pas forcément toutes présentes lorsqu'il y a de la douleur.
2. On peut agir sur chacune de ces composantes par diverses techniques.

Il arrive que les **quatre composantes de la douleur soient présentes**, par exemple dans le cas d'une blessure (composante 1) qui provoque une douleur intense (composante 2), désagréable (composante 3) et qui s'exprime au moyen de pleurs (composante 4). Si cette blessure survient au cours d'un match important des éliminatoires de la coupe Stanley, pendant lequel le joueur est absorbé par la joute, on sera peut-être en présence d'une lésion (composante 1) ne provoquant ni douleur intense (2), ni désagréable (3), ni de comportement tel que les pleurs (4). À la fin de la joute, lorsque l'attention du joueur ne sera plus absorbée par la partie, les autres composantes feront surface (2, 3 et 4). Quand on perd un être cher, bien qu'il n'y ait pas de lésion (1), on vit une douleur qui est souvent intense et désagréable et on se comporte en grimaçant et en pleurant (2, 3 et 4).

LES TROIS MÉCANISMES NON PHARMACOLOGIQUES QUI SOULAGENT LA DOULEUR PENDANT LE TRAVAIL ET L'ACCOUCHEMENT

Depuis des millénaires, on emploie de nombreuses techniques non pharmacologiques pour soulager la douleur. Grâce à l'avancement des connaissances scientifiques, il est maintenant possible d'expliquer comment ces différentes techniques agissent pour réduire la douleur.

Voici les trois mécanismes non pharmacologiques capables de transformer la perception de la douleur[43] :

1. la stimulation non douloureuse de la zone douloureuse ;
2. la stimulation douloureuse d'un site autre que la zone douloureuse ;
3. le contrôle du système nerveux central par la pensée et le mental.

Les évaluations scientifiques des techniques non pharmacologiques démontrent qu'elles sont sécuritaires et peuvent soulager la douleur à des degrés différents[44]. Comme l'efficacité varie d'une personne à l'autre, il convient de faire l'apprentissage de plusieurs de ces techniques afin de disposer de précieux outils pendant la grossesse et l'accouchement.

Tableau 2.1 LES TROIS MÉCANISMES NON PHARMACOLOGIQUES POUR SOULAGER LA DOULEUR

TROIS PRINCIPAUX MÉCANISMES	TECHNIQUE	ACTIVATION DU MÉCANISME	EFFETS SUR LES COMPOSANTES	DURÉE DE L'EFFET
> Stimulation non douloureuse de la zone douloureuse > À pratiquer entre et pendant les contractions	> Massage léger > Bain-douche > Positions/ambulation > Ballon > Compresse chaude ou froide > Yoga	> Grâce au massage léger de la zone douloureuse, les fibres non douloureuses bloquent dans la moelle une partie des fibres qui transmettent les messages de douleur	> Agit sur la seule zone qui est stimulée > Module surtout l'intensité de la douleur	> Dure surtout pendant la stimulation
> Stimulation douloureuse d'un site autre que la zone douloureuse > À pratiquer pendant toute la durée de la contraction	> Massage douloureux > Acupression > Injection d'eau stérile > Acupuncture > Glace	> La stimulation douloureuse déclenche la sécrétion d'endorphines qui noient la douleur et ne laissent une sensation douloureuse que dans la zone stimulée	> Agit sur toutes les zones douloureuses du corps, à l'exception de la zone stimulée > Module surtout l'intensité de la douleur	> Dure pendant et après la stimulation
> Le contrôle du système nerveux central par la pensée et le mental > À pratiquer entre et pendant les contractions	> Soutien continu > Structuration de la pensée > Respirations > Relaxation > Imagerie mentale > Croyance en la technique (placebo) > Environnement > Odeurs/ aromathérapie > Musique	> La douleur est modulée à partir des structures du cerveau responsables de la mémoire et des émotions	> Agit sur toutes les zones du corps > Module surtout l'aspect désagréable de la douleur	> Dure surtout pendant et après la pratique

La stimulation non douloureuse de la zone douloureuse

Grâce au massage léger de la zone douloureuse, les fibres non douloureuses bloquent dans la moelle une partie des fibres qui transmettent les messages de douleur[45]. Ainsi, la perception surtout de l'intensité de la douleur sur le site même de la douleur est réduite. La stimulation légère du site douloureux peut se faire grâce à un massage léger, un jet d'air (souffler sur la blessure), de l'eau tiède agréable (prendre un bain ou une douche), la chaleur ou le froid (appliquer un sac magique) et la déambulation (bouger et se déplacer).

MASSAGE LÉGER

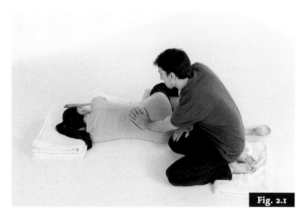

Fig. 2.1

Une légère stimulation du site de la douleur transforme la perception des sensations de cet endroit (*figure 2.1*). On l'utilise surtout entre les contractions et au besoin, pendant celles-ci.

LE BAIN OU LA DOUCHE

Le bain est considéré comme la péridurale des sages-femmes québécoises. Il permet à la femme de se détendre, de flotter, de bouger librement et de réduire ainsi les hormones de stress qui inhibent les contractions[46, 47]. C'est une technique sécuritaire, et ce, autant pour la mère que pour le bébé[48], qui peut être utilisée pendant la phase de dilatation (premier stade) et pendant l'expulsion (deuxième stade). La température de l'eau doit être équivalente à celle du corps de la mère et, autant que possible, le ventre doit être submergé. Des baignoires portatives sont disponibles en location.

DES COMPRESSES TIÈDES OU FRAÎCHES

Des compresses tièdes ou fraîches placées sur la zone douloureuse bloquent une partie des messages intenses qui se rendent au cerveau. Elles sont utilisées pendant et entre les contractions.

LE YOGA ET LA DÉAMBULATION

La pratique de différentes positions pendant le travail (*chapitres 1 et 5*) réduit les sensations intenses, augmente l'efficacité des contractions et facilite la descente du bébé dans le bassin, ce qui rend le travail plus aisé et moins long[49, 50, 51, 52]. Les postures proposées au chapitre 1 préparent le corps de la femme à l'accouchement alors que celles du chapitre 5 l'aident à utiliser le mouvement pour se soulager.

La stimulation douloureuse d'un site autre que la zone douloureuse

Dans la Grèce antique, on utilisait l'anguille électrique (poisson-torpille) pour soulager différents types de douleur[53, 54], dont la goutte, les rhumatismes et le mal de tête. On plaçait l'anguille sur la région douloureuse et la décharge électrique que recevait le patient produisait un soulagement immédiat qui persistait après la stimulation.

Cette technique crée une stimulation douloureuse (par massage profond, acupuncture, injection ou autre) sur un site parfois éloigné de la zone douloureuse en activant certains neurones et en en inhibant d'autres simultanément[55, 56]. Par le relâchement d'endorphines (une morphine interne sécrétée par l'organisme), le corps inhibe la douleur de tous les sites, sauf celui qui est sollicité par la stimulation douloureuse, produisant un soulagement qui agit pendant une période plus longue que la stimulation. Ce mécanisme n'entraîne aucun effet secondaire et soulage même des douleurs qui résistent aux approches analgésiques conventionnelles. Il module la douleur en diminuant principalement son intensité.

Les principales techniques qui font partie de ce mécanisme sont l'acupression (les massages douloureux), l'acupuncture, l'application de glace et l'injection d'eau stérile.

L'ACUPRESSION

L'acupression est un massage profond (douloureux) de zones réflexes d'acupuncture[57, 58]. Cette approche combine deux mécanismes pour faciliter le travail : les bienfaits de la médecine chinoise (réduire la douleur et favoriser un travail efficace) et le relâchement d'endorphines grâce à la création d'une seconde douleur.

Pendant toute la durée de la contraction, grâce à un massage profond intense, on stimule certains points d'acupuncture du bas du dos, de la fesse, du pied, de la main et de la jambe de la femme en travail (*chapitre 6*).

L'ACUPUNCTURE

L'acupuncture recourt à la stimulation de points précis avec des aiguilles pour soulager la douleur. Cette stimulation est douloureuse et est parfois appliquée sur une région éloignée de la région douloureuse. La stimulation, qui est de courte durée, peut produire un soulagement qui persiste bien au-delà de la période de stimulation[59].

LA GLACE

L'application de glace est un moyen facile pour créer une seconde stimulation douloureuse, n'importe où sur le corps pendant la contraction. Il suffit que la sensation perçue avec la glace soit forte.

LES PAPULES D'EAU STÉRILE

L'injection de très petites quantités d'eau stérile dans le bas du dos constitue un excellent moyen de réduire l'intensité de la douleur[60]. Il s'agit alors de créer des petites papules (bosses) immédiatement sous la peau.

L'eau stérile doit être injectée par votre professionnel de la santé lors d'une contraction, pour constituer la seconde douleur. Deux injections soulagent de 90 à 120 minutes et agissent pour toutes les douleurs du corps. Elles sont répétées dès que l'effet des endorphines s'estompe. On fait appel à cette technique après avoir mis en pratique les autres mesures de confort non pharmacologiques, en raison de la sensation intense et désagréable des injections qui ne dure que quelques secondes.

Avec ce deuxième mécanisme, la seconde stimulation intense est toujours créée **pendant** toute la durée des contractions.

Le contrôle du système nerveux central par la pensée et le mental

Les techniques de concentration mentale permettent de moduler les messages de douleur et d'inhiber les réactions physiologiques et psychologiques.

Le contrôle du système nerveux transforme la perception de la douleur ; il joue un rôle prédominant dans la gestion de la douleur. La transformation de la perception douloureuse donne lieu aux phénomènes suivants :
· une modification du message ;
· le relâchement d'endorphines.

Dans les centres supérieurs du cerveau, les messages de douleur établissent des liens directs et indirects vers d'autres régions cérébrales, lesquelles sont associées étroitement à la mémoire et aux émotions. Par conséquent, les images et les messages qui s'y trouvent influencent la manière dont sera surtout perçu l'aspect désagréable de la douleur.

Les techniques qui font appel à ce mécanisme reposent notamment sur le soutien physique et émotionnel, la structuration de la pensée, le placebo, le yoga, la respiration, la relaxation, l'imagerie mentale, les odeurs et l'aromathérapie, l'environnement et la musique.

LE SOUTIEN PHYSIQUE ET ÉMOTIONNEL

À lui seul, le soutien physique et émotionnel s'est révélé l'un des outils les plus importants pour réduire le recours aux analgésiques et aux interventions obstétricales (césariennes, forceps, ventouses, augmentation du travail, etc.)[61]. Ce soutien doit être continu, fourni par une personne aimante, qui sait quoi faire et qui gère son stress.

Ce mécanisme est fondamental pour aider la femme à créer et à rester dans sa zone zen, une bulle qui lui permet de vivre ses sensations dans le calme et la confiance. Cette attitude zen est probablement à l'origine de la réduction de toutes les interventions obstétricales et de l'amélioration de la satisfaction de la mère face à son accouchement.

LA STRUCTURATION DE LA PENSÉE

La structuration de la pensée consiste à recadrer de manière juste ce qu'implique un accouchement. Si pour la femme la contraction est synonyme de peur et d'angoisse, ses sensations lui sembleront très désagréables. Si toutefois la contraction est pour elle un phénomène aussi essentiel que positif et si elle est convaincue que, d'une part, des mécanismes endogènes sont à l'œuvre pour libérer la morphine naturelle qui va la soulager et que, d'autre part, elle a tout ce qu'il faut pour donner naissance, le caractère désagréable de ses sensations sera grandement atténué.

LE PLACEBO

Le rôle du placebo dans le traitement de la douleur est de plus en plus connu. Le placebo est défini comme l'effet thérapeutique obtenu par l'administration d'un traitement qui n'en est pas un. Ainsi, une seule condition semble essentielle pour déclencher les effets bénéfiques du placebo : que le praticien et le patient croient à l'efficacité du traitement.

L'attitude et les valeurs du personnel qui vous accompagne lors de votre travail peuvent constituer un puissant placebo. En effet, plus les intervenants sont convaincus que les mesures de confort non pharmacologiques sont efficaces et, surtout, qu'il est important que les parents éprouvent de la satisfaction en période postnatale, plus votre confiance à vivre le travail sera grande. Demandez à ce que les approches pharmacologiques ne vous soient pas proposées de manière continue, mais qu'on attende plutôt que vous les réclamiez, au besoin. Pour vous accompagner pendant la grossesse et l'accouchement, choisissez des personnes qui croient aux nombreux effets bénéfiques des techniques non pharmacologiques.

LE YOGA, LA RESPIRATION, LA RELAXATION ET L'IMAGERIE MENTALE

Le yoga est une approche globale efficace[62, 63] qui développe la capacité à se concentrer et à se détendre, grâce à la pratique assidue de postures (*chapitre 1*), de la respiration consciente (*chapitre 4*) et de la relaxation (*chapitre 7*).

La respiration agit à différents niveaux : d'abord pour oxygéner et détendre les tissus et, ensuite, pour dévier l'attention. Certaines études démontrent que les femmes qui savent relaxer perçoivent moins de douleur et ont moins besoin d'interventions (forceps, ventouses) pour faire naître leur bébé[64].

Parce qu'elle permet de prendre conscience de nos réactions face à la douleur et de les modifier au besoin, l'imagerie mentale (*chapitre 8*) est un précieux outil pour se préparer psychologiquement à la naissance. Elle aide à se fixer des objectifs réalistes et à développer des moyens pour les atteindre, ce qui contribue à faire de la naissance un événement satisfaisant.

LES ODEURS ET L'AROMATHÉRAPIE

Bien que les recherches aient conclu que l'aromathérapie (l'utilisation d'arômes dérivés de plantes et de fleurs à des fins thérapeutiques) ne réduit pas la douleur lors de l'accouchement, des chercheurs ont démontré que les odeurs agréables réduisent de manière importante la douleur en comparaison aux odeurs neutres ou désagréables[65]. C'est peut-être une des raisons qui expliquent la différence de perception qu'ont les femmes qui accouchent à la maison et celles qui accouchent dans une maternité. Si la femme n'aime pas l'odeur de son environnement et qu'elle l'associe à quelque chose de négatif (la maladie, par exemple), son humeur est affectée ainsi que sa perception de la douleur.

Pour contrer ce phénomène, choisissez une odeur que vous aimez (l'odeur de la fleur de lavande, par exemple) et imbibez un chiffon de cette odeur. Chaque fois que vous pratiquez votre séance de relaxation, placez ce chiffon près de votre visage, de manière à développer une association positive entre l'odeur de lavande et l'état de relaxation. Lors du travail, imbibez votre vêtement ou un chiffon de cette odeur qui, par association, améliorera votre humeur et réduira vos sensations.

UN ENVIRONNEMENT SÉCURISANT

Le chapitre 3 décrit la manière dont un cocktail hormonal est produit par la femme en travail lorsqu'elle se sent en sécurité, que son intimité est protégée et qu'elle n'est pas dérangée. En aidant la femme à créer sa zone zen, avec des lumières tamisées, du calme, de la chaleur et de l'intimité, on favorise la libération des hormones qui rendent le travail aisé et sécuritaire.

LA MUSIQUE

Bien qu'aucune étude n'ait démontré que la musique a un effet important pour atténuer les sensations intenses, si elle vous plaît et qu'elle vous permet de vous détendre et de dévier votre attention, elle peut assurément vous être utile. L'important est de choisir une musique que vous aimez.

Une récente étude a comparé les soins usuels aux techniques non pharmacologiques regroupées dans chacun des trois mécanismes. On a pu observer que lorsque le soutien physique et émotionnel est combiné à au moins un autre mécanisme, la fréquence des interventions obstétricales (césarienne, forceps, ventouses, syntocinon, péridurale, etc.) est moindre et la satisfaction de la mère est plus grande[66]. La pratique régulière des mesures de confort non pharmacologiques et la foi en leur efficacité sont des gages de succès. Si votre souhait est de mettre en pratique ces nombreuses techniques, demandez à ceux qui vous entourent de vous soutenir dans votre projet. Invitez-les à se préparer avec vous, à vous faire confiance et à vous encourager pendant le travail et l'accouchement.

LA MÉTHODE BONAPACE ET LES MESURES DE CONFORT

La méthode Bonapace fait appel à de nombreuses techniques qui, selon une recherche, réduisent de près de 45 % l'intensité et l'aspect désagréable de la douleur, tant chez les femmes qui accouchent pour la première fois que chez celles qui ont déjà donné naissance[67]. Cette recherche compare les techniques conventionnelles de préparation à la naissance à la méthode Bonapace. La présence active du partenaire ou d'une personne spécialement dédiée au soutien de la mère fait également partie de ce modèle.

Les mesures de confort existent depuis des millénaires. En raison de leur efficacité et de leur innocuité, elles sont de précieux outils qui vous permettent de vivre pleinement votre accouchement.

EXERCICE PRATIQUE : MODULER LA DOULEUR AU QUOTIDIEN

Pratiquez les trois mécanismes de modulation de la douleur dans des situations courantes de la vie. Lors d'un événement douloureux (une visite chez le dentiste ou chez l'esthéticienne, par exemple), caressez la zone douloureuse si possible. Créez une seconde douleur pendant la durée de la première et imaginez quelque chose d'agréable tout en détendant votre mâchoire et vos fesses. Expirez à fond.

CHAPITRE 3

L'ACCOUCHEMENT

Donner naissance est un événement grandiose pour lequel le corps de la femme est adapté. Pour la plupart des femmes, la grossesse et l'accouchement se déroulent de manière simple et sécuritaire. Pour d'autres, qui ont besoin de soins accrus, les connaissances et les outils de la médecine moderne sont utiles. Comme les femmes accouchent depuis des millions d'années, perpétuant ainsi notre espèce, on peut tenir pour acquis que la nature a tout prévu afin que la reproduction se fasse avec succès et en toute sécurité.

Au chapitre précédent, vous avez vu qu'il est possible de modifier les signaux potentiellement douloureux. Vous avez aussi appris que votre corps est doté de puissants mécanismes qui atténuent les sensations intenses et facilitent la naissance. Dans ce chapitre, vous verrez que la nature a prévu un autre puissant système pour vous aider : un délicat cocktail hormonal.

Lorsque la mère se sent en sécurité et dans un environnement privé, les hormones qu'elle produit lui permettent, à elle et à son enfant, de vivre la naissance de manière sécuritaire et physiologique, c'est-à-dire d'une manière qui respecte les fonctions du corps. Ces hormones bénéficient autant à la mère qu'au bébé. Ensemble, elles contribuent à créer l'environnement propice pour que tous deux soient en santé, que l'attachement entre eux s'amorce et que l'allaitement soit un succès. Il ne suffit pas que la mère et l'enfant survivent. L'attachement est crucial, car le nouveau-né demande beaucoup de soins ; de plus, l'allaitement a été et demeure, pour certaines femmes, l'unique moyen de nourrir leur bébé. Pour que l'humain continue à se reproduire, il a fallu que les femmes trouvent du plaisir non seulement à s'accoupler, mais aussi à donner naissance.

L'accouchement est un événement unique, d'une simplicité et d'une complexité surprenantes qui ne se reflètent pas dans les chiffres ou les données statistiques. Bien qu'il existe de grandes règles qui gouvernent le travail, chaque accouchement est unique, exigeant qu'on s'y adapte et qu'on l'accueille avec ses variantes particulières. Sachant que votre propre parcours peut différer de la norme, portez votre attention sur ce que vous contrôlez, c'est-à-dire votre attitude et vos compétences à vivre les sensations intenses, plutôt que de vous soucier des composantes que vous ne contrôlez pas, telles que la fréquence et l'intensité des contractions, la dilatation du col, la descente du bébé, etc.

Dans ce chapitre, vous verrez que votre corps dispose de nombreuses ressources pour faciliter le travail. Vous trouverez toute l'information dont vous avez besoin pour reconnaître le début du travail actif ainsi que les différents stades qu'il comporte. Vous apprendrez également le rôle des hormones et les conditions qui maximisent leur action. Surtout, vous découvrirez les façons dont vous pouvez créer le contexte le plus propice à un accouchement sécuritaire, aisé et agréable.

Sommaire du chapitre 3 : L'accouchement

OBJECTIFS	MOYENS
Créer les conditions propices pour le déroulement optimal du travail	> Préparation de l'esprit par la connaissance de certains aspects physiologiques et psychologiques de la naissance > Connaissance du rôle que jouent les hormones dans un accouchement aisé, satisfaisant et sécuritaire > Création d'un environnement physique et émotionnel propice à la sécrétion hormonale (la femme sent que sa tranquillité, sa sécurité et son intimité sont préservées)
Favoriser le soutien continu de la femme en travail	> Mise en place et préparation d'une équipe de soutien qui répond aux besoins de la femme et est en accord avec ses valeurs
Faire des choix éclairés en ce qui a trait au soulagement de la douleur	> Connaissance des effets de la péridurale sur le déroulement du travail et de l'accouchement ainsi que sur la mère et le bébé
Participer activement à son propre accouchement	> Choix éclairés quant au lieu de naissance et au professionnel de la santé qui suit la grossesse
Vivre un accouchement satisfaisant	> Préparation de la liste des «souhaits de naissance» comme outil de communication entre tous les participants

Par rapport à l'accouchement, le rôle de la femme consiste à:

1. Entretenir la confiance en ses capacités à donner naissance de manière sécuritaire, aisée et agréable.
2. Créer les conditions propices au déroulement physiologique de son accouchement en se préparant physiquement et mentalement et en préparant son équipe de soutien, en pratiquant les mesures de confort et en choisissant l'intervenant ainsi que la maternité.
3. Maximiser la sécrétion des hormones en créant une zone zen autour d'elle-même.
4. Comprendre le déroulement du travail et de l'accouchement et savoir lâcher prise pour laisser faire la nature.
5. Adopter une attitude positive et confiante face aux différentes étapes du travail.
6. Demeurer calme et se concentrer sur la détente du corps par la pratique de la respiration consciente et de l'imagerie mentale.

Quant au rôle de l'accompagnant, il consiste à:

· assurer le soutien émotionnel et psychologique de la mère en étant attentif, compatissant et aimant;
· lui fournir un soutien physique en prodiguant des massages légers ou intenses, en l'aidant à adopter des postures bienfaisantes et en lui offrant toute autre mesure de confort;
· protéger la zone zen de la femme;
· gérer son propre stress et s'occuper de ses propres besoins tout en soutenant sa partenaire.

LE DÉROULEMENT DU TRAVAIL

Le premier chapitre a souligné l'importance de renforcer, de détendre et de soulager votre corps afin de vous préparer à mettre votre enfant au monde. Dans les semaines qui précèdent la naissance, pratiquez vos postures de yoga de manière plus soutenue. Pendant vos temps libres, adoptez les postures qui favorisent le positionnement optimal du bébé dans votre bassin. Il s'agit des positions où le ventre est penché vers l'avant, dans le vide, ainsi que les positions où vous êtes allongée sur le côté.

Vers la trente-sixième semaine de grossesse, si votre bébé se présente en siège (les fesses en premier), pratiquez les mouvements qui lui permettront de se désengager du bassin. Ce sont les positions où vos fesses sont plus hautes que votre tête (*chapitre 1*). Toutefois, si votre bébé est bien positionné la tête vers le bas, évitez ces dernières positions.

Le travail préliminaire

Le travail préliminaire[68] (aussi connu sous le nom de faux travail) est un processus qui se produit en fin de grossesse et qui aide la femme à apprivoiser les sensations intenses qu'elle expérimentera lors du véritable travail. L'utérus se durcit et demeure contracté pendant quelques minutes, et ce, à intervalles irréguliers. Il ne cède pas à la pression exercée par le bout des doigts. Ces sensations ressemblent aux crampes menstruelles et la tension se situe dans le bas de l'abdomen et dans l'aine.

Chez certaines femmes, ces contractions auront comme effet de transformer peu à peu l'utérus, tandis que chez d'autres il faudra de nombreuses heures de contractions intenses pour obtenir ce résultat. L'important est d'accepter et d'accueillir la manière dont votre bébé et votre corps agissent ensemble pour faire avancer le travail. En fait, on pourrait comparer le travail préliminaire au coup de pratique, au golf. Loin d'être inutile, ce coup est important puisque même les professionnels l'utilisent pour s'échauffer, tester leurs sensations et se préparer.

Le tableau 3.1 présente les caractéristiques qui distinguent le travail préliminaire du vrai travail.

Tableau 3.1 LE TRAVAIL PRÉLIMINAIRE ET LE VRAI TRAVAIL

CARACTÉRISTIQUES	TRAVAIL PRÉLIMINAIRE	VRAI TRAVAIL
Intervalles entre deux contractions	> Irréguliers	> Réguliers > De plus en plus courts
Intensité des contractions	> Variable	> De plus en plus forte
Effet du repos sur les contractions	> Arrêt à l'occasion	> Aucun arrêt
Écoulement	> Habituellement absent > Parfois perte du bouchon muqueux	> Habituellement présent > Léger écoulement avec filaments sanguins (le col s'efface, se dilate) > Perte du bouchon muqueux, mais pas toujours > Rupture des membranes
Col de l'utérus	> Parfois aucun changement	> Effacement > Dilatation

Il ne faudrait pas confondre le travail préliminaire avec des signes de travail prématuré (avant la trente-sixième semaine), qui se caractérise par plus de quatre contractions à l'heure jumelées à une douleur ou à une pression dans le bas de l'abdomen et dans l'aine.

Les contractions ou les vagues

Les vraies contractions ressemblent aux contractions préliminaires, mais elles s'en distinguent par leur intensité et leur régularité. Elles se présentent comme une pression forte au bas-ventre et à l'aine, puis se diffusent au bas du dos. C'est grâce à elles que le col de l'utérus se transforme. Elles viennent en vagues, atteignent un sommet et redescendent. Elles sont rythmiques et continues.

Lorsque le travail est très bien entamé, les contractions sont d'une durée d'environ 1 minute, puis cessent pendant 1 minute. On calcule la durée à partir du début de la contraction jusqu'à la fin de celle-ci. L'intervalle se calcule entre le début d'une contraction et le début de la suivante.

Pendant les 10 à 15 premières et dernières secondes de chaque vague, l'intensité est moindre, la contraction atteignant son apogée et y demeurant pendant une trentaine de secondes. Pour vous aider à rester à l'écoute de vos sensations, laissez-vous porter la vague. Évitez les pensées parasitaires telles que calculs, prévisions et attentes. Songez à votre bébé ou déviez votre attention en comptant mentalement la durée de vos respirations, en expirant à fond ou en chantant le son HU (prononcé HIOU). Ce chant se fait sur l'expiration, en relâchant la mâchoire et les fesses. Détendez-vous et restez dans le moment présent. Dès que la vague sera passée, vous aurez une période de calme. Profitez de cette pause pour vous reposer et recharger votre énergie.

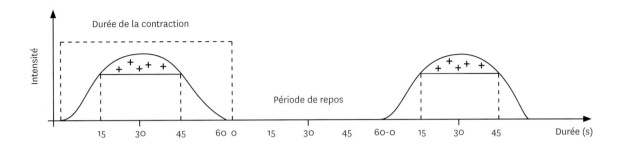

La libération des hormones : un mécanisme destiné à faciliter la naissance

La peur, tout comme la pensée, peut déranger le délicat équilibre hormonal. Quand la femme accouchait dans la brousse et qu'elle percevait un danger ou un stress important, par exemple l'agression d'un animal sauvage, le travail cessait afin de lui permettre de fuir, puis il reprenait quand elle se sentait de nouveau en sécurité. La même chose se produit aujourd'hui, exception faite des facteurs de stress qui sont différents. Accoucher dans un lieu inconnu, avec des étrangers, sans ses vêtements et ses propres repères peut créer un stress qui est perçu comme une menace propre à faire cesser les contractions jusqu'à ce qu'on se sente de nouveau en sécurité. C'est peut-être la raison pour laquelle certaines femmes cessent d'avoir des contractions lorsqu'elles arrivent à la maternité.

Pour contrer cet effet, apportez plusieurs objets familiers de votre foyer (coussins, vêtements, aliments, odeurs, ballons, objets pour votre confort) et aménagez la chambre afin qu'elle favorise votre intimité et votre bulle. Le père ou la personne qui vous accompagne peut filtrer les visites et agir comme le gardien de votre zone zen.

En plus des mécanismes pour réduire la douleur, les hormones constituent un puissant système qui vous permet de faire naître votre enfant avec aisance, en toute sécurité. En effet, les hormones de l'amour et du plaisir (ocytocine), de la transcendance et de l'euphorie (bêta-endorphines), de l'excitation (l'adrénaline et la noradrénaline) et du maternage (prolactine)[69] s'allient, au moment de la grossesse et de l'accouchement, pour constituer un délicat cocktail hormonal. Une meilleure connaissance de ce cocktail vous aidera à entrer et à rester dans votre zone zen, au moment de la naissance.

Un premier moyen pour activer ces hormones consiste à créer, pour donner naissance, un environnement qui rappelle celui dans lequel vous faites l'amour. Puisque ce sont les mêmes hormones, les mêmes parties du corps, les mêmes sons et un besoin semblable de sécurité et d'intimité qui sont en jeu non seulement lorsqu'on fait l'amour, mais aussi lorsqu'on donne naissance, certains chercheurs estiment que l'environnement, lui aussi, devrait être semblable[70]. Le premier moyen pour favoriser la sécrétion d'hormones pourrait être de créer un environnement de naissance qui soit agréable et chaud, baigné d'une lumière tamisée, où les besoins d'intimité et de sécurité de la femme sont respectés.

Un second moyen consiste à laisser la partie pensante de votre cerveau au repos afin de centrer votre attention sur vos sensations. En yoga, on dit que le mental est menteur. Si on se met à additionner les minutes, les heures ou les centimètres de dilatation et qu'on se concentre sur le moniteur fœtal, sur ce que les autres disent et pensent, on peut facilement sortir de sa bulle, se faire peur et perdre le contact avec ce qui est vrai. Toutes ces stimulations vous sortent de votre zone zen. Imaginez-vous en pleins ébats amoureux. Vos hormones vous transportent vers l'au-delà. Vous baignez dans l'ocytocine et les bêta-endorphines et, tout à coup, votre partenaire vous demande la recette de ragoût de votre mère. Vous avez perdu votre inspiration ? Pas étonnant ! C'est là l'effet de la pensée sur les hormones.

Quand on se concentre sur ses sensations, qu'on se laisse porter par elles, qu'on pense au bébé, à la naissance, à son «espace de bien-être» et qu'on se répète qu'on est en sécurité et que tout va bien, on réussit à lâcher prise. Les sensations apparaissent et disparaissent. C'est la raison pour laquelle il est préférable de parler le moins possible, d'éviter les pensées rationnelles et de couvrir l'horloge et les moniteurs électroniques, s'il y en a, afin de ne pas les avoir à la vue.

Dr Sarah Buckley[71] décrit de manière scientifique et anthropologique le rôle de quatre hormones sécrétées par la mère et communiquées au bébé par le sang durant la période de la naissance. Ensemble, l'ocytocine, les endorphines, les catécholamines et la prolactine composent le cocktail hormonal qui assure la sécurité de la mère et de l'enfant, favorise l'attachement et facilite l'allaitement. C'est la recette que la nature a élaborée pour assurer la survie de notre espèce. Ces hormones sont optimisées lorsque la mère se sent en sécurité, protégée, et que son besoin d'intimité est respecté.

Tableau 3.2 LE RÔLE DES PRINCIPALES HORMONES DU TRAVAIL ET DE L'ACCOUCHEMENT

HORMONE	RÔLE
Ocytocine: hormone de l'amour, de l'attachement et du bien-être	**Effets psychologiques:** > Cimente les humains les uns aux autres en favorisant l'amour, l'attachement et le bien-être > Diminue la douleur et atténue les souvenirs liés à la douleur > Est stimulée par le contact «peau à peau», le contact visuel avec un être aimé, le toucher et l'excitation des mamelons[72] **Effets physiologiques:** > Provoque les contractions qui font dilater le col de l'utérus, lors du travail > Protège le bébé en réduisant l'activité de ses cellules nerveuses et son besoin en oxygène[73] > Contribue au réflexe d'expulsion du fœtus[74, 75] > Provoque les contractions qui réduisent les saignements, tout de suite après la naissance[76] **Effets des interventions médicales sur l'ocytocine:** > L'ocytocine diminue lorsque la mère ne se sent pas en sécurité et qu'elle a peur > L'ocytocine diminue de manière importante en présence de substances médicamenteuses; c'est ce qui explique le besoin fréquent d'intensifier le travail avec l'ocytocine synthétique (syntocinon, pitocin) après l'administration d'une péridurale, par exemple > L'ocytocine perd ses effets psychologiques lorsqu'elle est remplacée par la version synthétique

HORMONE	RÔLE

Bêta-endorphines: hormones du plaisir, de la transcendance et du soulagement	**Effets psychologiques:**
	> Modifient l'état de conscience de la mère en la transportant «sur une autre planète»
	> Passent dans le lait maternel[77], ce qui crée du plaisir et une dépendance entre le bébé et la mère lors de l'allaitement
	Effets physiologiques:
	> Réduisent la douleur
	> Favorisent la libération de la prolactine (l'hormone qui prépare les seins pour l'allaitement) durant le travail[78]
	Effets des interventions médicales sur les bêta-endorphines:
	> Les bêta-endorphines sont grandement diminuées par l'administration d'une péridurale ou d'analgésiques[78a], et cette diminution pourrait entraîner les effets suivants:
	  · Réduction du soulagement du bébé pendant le travail et immédiatement après l'accouchement
	  · Réduction de la sécrétion de prolactine[78b] (l'hormone du lait maternel) ainsi que des effets de codépendance et de plaisir transmis par l'allaitement[78c]
	> Les substances médicamenteuses peuvent diminuer la capacité du bébé à sucer et à téter, ce qui retarde le début de l'allaitement[79]

Catécholamines: hormones d'excitation et de stress	**Effets psychologiques:** > Augmentent l'attention et le niveau d'énergie de la mère en fin de travail, lui donnant la force pour expulser **Effets physiologiques:** > Favorisent le réflexe d'expulsion du fœtus en fin de travail[80] > Protègent le fœtus contre une baisse d'oxygène lors de la poussée et le préparent à vivre dans le monde physique (les catécholamines améliorent sa fonction respiratoire, la régulation des composantes essentielles de son organisme et sa production de chaleur)[81] **Effet des interventions médicales ou du stress sur les catécholamines:** > Les catécholamines augmentent pendant le travail, ce qui a pour effet de ralentir ou de freiner les contractions[82]
Prolactine	**Effets psychologiques:** > Favorise les comportements maternels (vigilance et soumission) chez la femme afin qu'elle s'adapte à son rôle de mère[83] > Présente chez le père qui prend soin de ses enfants **Effet physiologique:** > Contribue à la production du lait maternel **Effet des interventions pharmacologiques sur la prolactine:** > La sécrétion de prolactine pourrait être diminuée en raison de la baisse des bêta-endorphines

L'ÉVOLUTION DU TRAVAIL

«Le processus de la naissance commence avec le col de l'utérus qui se déplace de l'arrière vers l'avant, qui s'assouplit, s'efface et se dilate. La tête du bébé se tourne et fléchit, puis le bébé descend et franchit le bassin de sa mère jusqu'à émerger à l'air libre[84].»

Le travail de la femme qui accouche se divise en trois stades[85] (tableau 3.3).

Tableau 3.3 LES STADES DU TRAVAIL ET DE L'ACCOUCHEMENT

1er stade	> Dilatation du col de l'utérus de 1 à 10 cm > Comporte deux phases : phase de latence et phase active
2e stade	> Naissance du bébé
3e stade	> Expulsion du placenta

Premier stade du travail : La dilatation du col de l'utérus de 1 à 10 cm

Au cours du premier stade, pendant lequel le col de l'utérus se dilate de 1 à 10 cm, le travail physiologique se divise en deux phases distinctes : la phase de latence et la phase active.

LA PHASE DE LATENCE

La phase de latence se caractérise par une dilatation lente et peu importante du col de l'utérus et par une légère descente du bébé. La fréquence des contractions est irrégulière et l'intensité peut devenir importante. Avant de se dilater complètement, le col de l'utérus s'amincit sous l'effet des nombreuses contractions. Cela peut prendre de longues heures.

Pendant cette période, soyez calme et surtout patiente. Restez à la maison où vous serez plus confortable. Mangez, buvez et urinez au besoin[86]. Continuez à faire vos activités sans vous surmener. Il est tout à fait normal que le col ne se dilate pas dans cette période, même après plusieurs heures de contractions. Profitez des moments d'intimité avec votre partenaire pour apprivoiser le début du travail. Ina May Gaskin[87], une sage-femme américaine qui pratique depuis les années 1970, recommande à toutes les femmes qu'elle accompagne de faire du «peau à peau» avec leur partenaire, car cette proximité favorise le relâchement des hormones qui facilitent le travail[88].

Si les contractions s'intensifient, expirez à fond. L'expiration permet de vider les poumons (ce qui prévient l'hyperventilation), de faire remonter le diaphragme (ce qui réduit la pression du diaphragme sur l'utérus) et de dévier l'attention (ce qui réduit les sensations). Chantez le son HU (prononcé HIOU) (chapitre 4) pour vous aider à expirer.

Lors de contractions plus importantes, choisissez une position confortable, relâchez le bassin en le basculant si possible, et détendez le périnée profond en relâchant les fesses.

Le rôle du partenaire pendant la phase de latence

Pendant la contraction, soutenez la femme dans sa pratique des respirations (chapitre 4) et créez une stimulation intense dans une zone réflexe (chapitre 6). Passez du temps avec votre partenaire. Si elle a prévu d'accoucher à la maison, faites le point sur les derniers préparatifs. Si elle accouche dans une maison de naissance ou à la maternité, assurez-vous d'avoir préparé tout ce dont vous aurez besoin pour le confort de votre partenaire et le vôtre (voir Annexe 1 : Contenu des valises et trousseau du bébé).

LA PHASE ACTIVE

Le col est maintenant mûr, c'est-à-dire prêt à s'ouvrir suffisamment pour passer derrière la tête du bébé. C'est l'effet des contractions et l'appui de la tête du bébé qui permettent l'ouverture. Comparativement à la phase de latence, le col se dilate beaucoup plus rapidement. Les contractions seront probablement très fortes, assez longues et rapprochées.

Au début du vrai travail, la femme peut :
· vivre un regain soudain d'énergie ;
· ressentir des douleurs au bas du dos et aux hanches ;

- avoir des sécrétions vaginales ;
- perdre son bouchon muqueux ;
- constater la rupture des membranes ou «poche des eaux» ;
- remarquer un changement dans la durée et l'intensité des contractions ;
- constater que le repos n'a aucun effet sur les contractions.

Voyons ces signes[89].
- Certaines femmes ressentent un soudain regain d'énergie qui peut être causé par une baisse du taux de progestérone produite par le placenta. Si cela vous arrive, ne vous agitez pas trop afin de ne pas vous épuiser avant le travail.
- Des tensions lombaires (bas du dos) et sacro-iliaques (sacrum et bassin) peuvent se manifester. Elles deviennent plus fortes, à cause de l'action de la relaxine, une hormone qui assouplit les articulations de l'os pubien.
- Les sécrétions vaginales peuvent augmenter sous l'effet de la congestion de la muqueuse vaginale. Certaines femmes ont de petites pertes sanguines. Attention : distinguez hémorragie et perte sanguine normale. Si vous perdez de petites quantités de sang de façon continue, communiquez avec votre professionnel de la santé et évitez de faire des efforts violents.
- Le bouchon muqueux est une masse gélatineuse qui ressemble à du blanc d'œuf coagulé. Il bloque le col de l'utérus pendant la grossesse et protège le bébé contre les microbes du vagin.
- Les membranes formant l'enveloppe dans laquelle baigne le bébé peuvent se rompre, laissant s'échapper un liquide incolore par le vagin. C'est le liquide amniotique. Couchez-vous et laissez le liquide couler. Portez une serviette hygiénique pour l'absorber. Ensuite, communiquez avec votre professionnel de la santé.
- Les contractions changent. Elles deviennent plus régulières, plus intenses et plus rapprochées. Pour que le col se dilate complètement, de nombreuses contractions intenses sont nécessaires (*illustrations 3.1 à 3.4*).

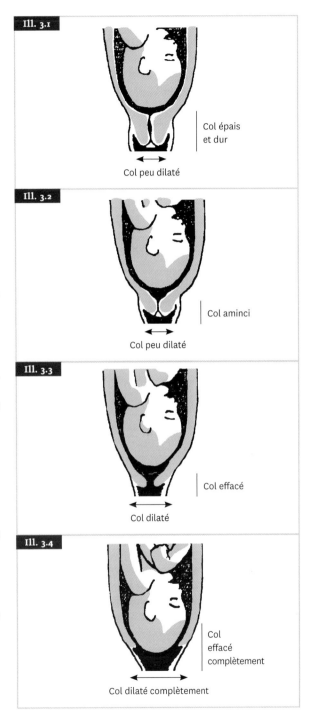

Ill. 3.1
Col épais et dur
Col peu dilaté

Ill. 3.2
Col aminci
Col peu dilaté

Ill. 3.3
Col effacé
Col dilaté

Ill. 3.4
Col effacé complètement
Col dilaté complètement

Détournez votre attention de l'horloge, des moniteurs (s'il y en a) et de la technologie pour ne pas activer votre cortex, la partie pensante de votre cerveau. Concentrez-vous sur vos sensations. Faites confiance à vos hormones et à votre capacité à utiliser efficacement les techniques pour moduler la douleur. Votre travail prendra le temps qu'il faudra. Même si les sensations sont très fortes et que vous avez parfois l'impression que quelque chose à l'intérieur de vous se brise, ayez confiance. COURAGE! Vous avez, comme toutes les femmes, ce qu'il faut pour mettre votre enfant au monde.

Rappelez-vous que les sensations fortes sont utiles pour vous enseigner comment vous déplacer et vous positionner. Soyez proactive pour trouver ce qui vous soulage, une contraction à la fois. Ce n'est pas parce que c'est intense que c'est mauvais. Dans vos moments de détresse, pensez à votre bébé qui profite de vos bêta-endorphines, ces analgésiques naturels qui le soulagent et le protègent. Rappelez-vous que c'est grâce aux contractions que votre col s'ouvre, que le bébé franchit les différents passages et que vous donnez naissance. Soyez zen! Observez à l'illustration 3.5 un exemple de col dilaté à 1 cm et à 10 cm.

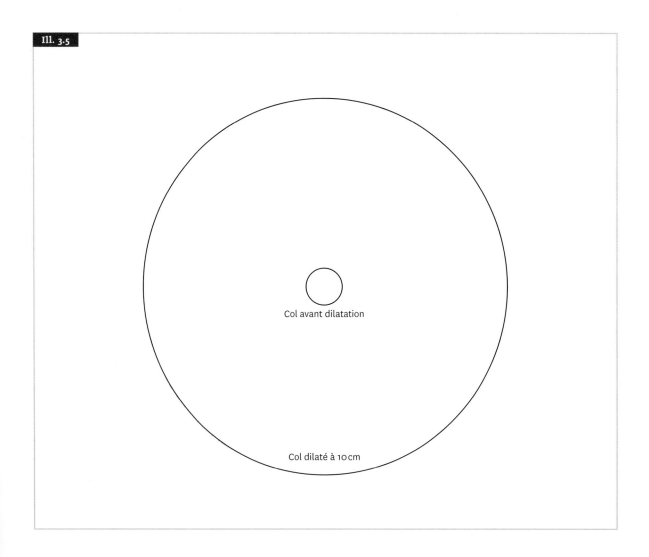

Ill. 3.5

Col avant dilatation

Col dilaté à 10 cm

Si vous accouchez ailleurs qu'à la maison, il vous est recommandé de partir lorsque les contractions respectent le 5-1-1: les contractions sont aux 5 minutes depuis 1 heure, leur durée est d'environ 1 minute et chacune d'elles est tellement intense qu'elle demande toute votre attention[90]. En cas de doute, téléphonez à la maternité ou au professionnel de la santé qui fait votre suivi de grossesse.

QUAND PARTIR POUR LA MATERNITÉ OU LA MAISON DE NAISSANCE

S'il s'agit de votre premier bébé, présentez-vous à la maternité ou à la maison de naissance ou encore téléphonez:

1. quand vos contractions sont régulières aux 5 minutes, depuis 1 heure et sont d'une durée d'environ 1 minute, chacune d'elles vous empêchant de parler et demandant toute votre attention;
2. ou si vous avez un écoulement de liquide amniotique (la «poche des eaux» s'est rompue).

S'il s'agit de votre deuxième bébé ou plus, tenez compte de la durée de votre premier accouchement et discutez-en avec votre intervenant professionnel. En principe, présentez-vous à la maternité ou à la maison de naissance quand les contractions sont régulières, toutes les 10 minutes depuis 1 heure; ou s'il y a rupture des membranes ou si vous avez un écoulement sanguin.

Pendant la contraction, expirez à fond ou chantez le son HU (prononcé HIOU). La respiration vous permet de vous concentrer sur vos sensations et dévie votre attention. Restez calme et reposez-vous entre chaque contraction. Relâchez tout le corps, particulièrement l'abdomen, les jambes et les fesses. Demandez à votre partenaire de secouer vos cuisses et vos fesses si elles sont tendues. Cela permet de détendre le périnée pour qu'il ne résiste pas par réflexe à la pression des contractions, ce qui augmenterait l'intensité de la sensation.

Portez votre attention sur autre chose que la contraction. Pensez à votre bébé. Créez une seconde douleur dans une zone réflexe (*chapitre 6*). Essayez différentes positions pour soulager l'inconfort avec des suspensions, des appuis, ou encore en vous allongeant sur le côté ou en adoptant la position assise (*chapitre 5*).

Les émotions sont parfois responsables d'un long travail qui n'avance pas.

« Ina May Gaskin[91] décrit l'accouchement d'une jeune femme pour qui la dilatation tardait. Elle la questionna pour comprendre si quelque chose l'ennuyait. La jeune femme répliqua que lors de son mariage avec son partenaire, il avait refusé de prononcer la partie des vœux qui consistait à s'engager avec elle pour la vie. Cela l'insécurisait. Le père aura-t-il toujours envie d'être avec elle après la naissance du bébé? Inconsciemment, elle retenait le bébé pour éviter de faire face à cette possibilité. Ina May discuta de la situation avec le père et proposa de célébrer une nouvelle cérémonie sur place. Une fois les vœux prononcés, le col de la jeune femme s'ouvrit complètement pour laisser naître son enfant. »

Pour vous aider à utiliser l'énergie de vos émotions, nous vous proposons plus loin (*chapitre 8*) la technique de libération émotionnelle (EFT).

Le rôle du partenaire pendant la phase active

Le rôle du partenaire ou de la personne qui accompagne la femme qui accouche est primordial pendant cette phase. À cause de la force des contractions, l'état de conscience de la femme est souvent modifié, ce qui est favorable pour la mère et le bébé. C'est l'effet des endorphines.

1. Rappelez-lui qu'elle a tout ce qu'il faut pour donner naissance.
2. Montrez-lui que vous avez confiance en elle en lui disant: «Tu vas y arriver, tu peux le faire, je te fais confiance.»
3. Rassurez-la. Protégez-la. Soyez son gardien. Veillez sur elle.
4. Soyez aimant et encouragez-la en douceur. Soyez compréhensif.
5. Créez une ambiance de calme et de sérénité.
6. Gérez votre stress et votre anxiété.
7. Aidez-la dans la pratique de ses respirations. Encouragez-la à se concentrer et à expirer à fond. Chantez le HU (prononcé HIOU) avec elle.
8. Pendant la contraction, pratiquez les massages en créant une douleur sur un site autre que celui qui est endolori.
9. Entre les contractions, caressez son corps et donnez-lui de l'affection.
10. Au besoin, lubrifiez ses lèvres avec un corps gras.
11. Épongez son visage.
12. Travaillez avec elle pour l'aider à trouver une position de confort.
13. Proposez-lui le bain.
14. Pensez à vous détendre, à rester calme et à vous alimenter. Votre soutien lui est essentiel.

Les études sur le soutien continu par le père, une accompagnante à la naissance (doula), un membre de la famille ou un professionnel de la santé démontrent que le soutien physique, moral et émotionnel diminue toutes les interventions obstétricales et améliore la satisfaction ainsi que la santé de la mère et de son enfant[92]. Ce soutien aide la femme à rester dans sa bulle ou sa zone zen.

Des solutions aux malaises éprouvés pendant la phase active

Pendant la phase active, vous remarquerez peut-être certains symptômes désagréables.

Nausées et vomissements: Les femmes ont souvent plus envie de boire que de manger. Bue à la température ambiante par toutes petites gorgées, l'eau permet une hydratation indispensable pendant le travail. Une recette de bouillon riche en magnésium vous est proposée en annexe (*voir Annexe 2: Recettes*).

Pensées irrationnelles: Ces pensées irrationnelles sont très utiles, surtout lorsqu'elles ont lieu vers la fin du travail. Elles sont activées par les hormones de stress et ont pour effet de vous dynamiser en vue de l'expulsion de votre bébé. Travaillez avec ces émotions et utilisez-les pour activer vos ressources intérieures. Continuez à avoir confiance en vous et maintenez l'attention sur la respiration. Suivez votre instinct. Pour vous aider à vivre vos émotions intenses, pratiquez la technique de libération émotionnelle (*chapitre 8*).

Sudation intense et frissonnements incontrôlables: Ces sensations se succèdent parfois et créent un inconfort. Rééquilibrez votre tenue vestimentaire. Expirez à fond et restez calme.

Claquement des dents et tremblements des jambes: Exécutez des mouvements de balancement des jambes. Effleurez l'intérieur des cuisses. Continuez à pratiquer les respirations.

Deuxième stade du travail: La naissance du bébé

Des taux élevés d'adrénaline et de noradrénaline, les hormones de l'excitation et du stress, jouent un rôle important en fin de travail en procurant à la mère l'énergie, la force et la vigilance pour expulser son bébé rapidement. Le réflexe d'expulsion du fœtus[93, 94] est augmenté lorsque les contractions intenses de la fin du travail font progresser le bébé dans les profondeurs du bassin de sa mère. L'étirement des tissus occasionné par la pression de la tête du bébé active les fibres nerveuses spécialisées au niveau du col et de la partie inférieure du vagin. Ces fibres nerveuses envoient un message au cerveau qui relâche une quantité importante d'ocytocine. L'ocytocine crée à nouveau de fortes contractions qui font progresser davantage le bébé qui, lui, stimule d'autres fibres nerveuses spécialisées. Cette boucle de rétroaction positive, connue sous le nom du réflexe de Ferguson[95, 96], est responsable du taux élevé d'ocytocine relâchée en période post-partum et permet à la mère d'expulser son bébé avec facilité. Cependant, en présence de substances médicamenteuses, l'ocytocine diminue de manière importante. C'est ce qui explique que ce réflexe est souvent absent de nos maternités.

Le réflexe d'expulsion du fœtus peut être accompagné d'autres signes typiques d'une élévation des hormones de stress: l'augmentation de la force musculaire, la bouche sèche, le besoin urgent de se placer debout et parfois même des expressions verbales et non verbales intenses. La «peur physiologique» telle qu'elle est décrite par Michel Odent[97] peut se manifester par des expressions comme «Laissez-moi mourir!» Chez le rat, l'élévation des catécholamines pendant cette période donne lieu à un mécanisme de protection du nouveau-né qui se traduit par une accentuation du comportement agressif-défensif de la femelle[98].

Cette poussée réflexe peut être inhibée lorsqu'on demande à la mère de commencer ses poussées volontaires avant que le réflexe n'apparaisse ou lorsque la mère est dérangée par des examens, des interventions ou des stimulations corticales (la partie pensante de son cerveau) quand on lui adresse la parole, par la proximité de personnes inconnues et par des substances médicamenteuses, incluant l'ocytocine synthétique et la péridurale.

Afin de faciliter le réflexe d'expulsion du fœtus et celui de Ferguson, créez un environnement intime dans lequel vous vous sentez dans votre bulle. Fiez-vous à vos sensations et attendez que le bébé descende dans votre vagin avant de pousser. Si le réflexe s'installe, vous n'aurez rien d'autre à faire que de suivre l'envie irrésistible de pousser. Si le réflexe ne s'installe pas, adoptez une position qui fait travailler la gravité en votre faveur. Évitez surtout d'être allongée sur le dos (*chapitre 5*).

Troisième stade du travail: L'expulsion du placenta

L'expulsion du placenta a lieu dans l'heure qui suit la naissance du bébé et exige habituellement peu d'efforts de la mère. L'accouchement n'est cependant pas terminé tant que le placenta n'a pas été expulsé. Pour favoriser son expulsion, maintenez un environnement de calme, protégez votre zone zen, évitez de parler ou de faire appel à votre rationnel. Continuez à pratiquer les techniques pour moduler les sensations intenses. Attendez 5 minutes avant de couper le cordon du bébé ou, mieux encore, attendez que le placenta soit expulsé. Il est scientifiquement reconnu que le tiers du sang du bébé reste dans le placenta si le cordon ombilical est clampé tout de suite à la naissance. Dans la minute qui suit la naissance, 50 % du sang est transfusé et dans les 3 premières minutes, ce taux passe à 90 %[99]. Cette technique permet un transfert optimal du sang du placenta vers le bébé ainsi qu'une transition respiratoire en douceur pour lui.

LES EFFETS DE LA PÉRIDURALE

Les interventions obstétricales influeront, à des degrés différents, sur le cocktail hormonal. Voyons de manière plus précise l'impact de la péridurale sur la mère et son enfant ainsi que des moyens concrets pour réduire les effets indésirables.

La péridurale est l'intervention pharmacologique la plus efficace et la plus répandue en Occident. Elle consiste à réduire ou à éliminer la douleur grâce à l'injection de substances médicamenteuses près des nerfs qui transmettent la douleur et qui sont situés dans la colonne vertébrale. Ces substances réduisent l'influx nerveux des fibres sensitives, celles qui transmettent les sensations douloureuses et agréables, et, dans une certaine mesure, les fibres motrices qui transmettent les messages aux muscles.

Bien qu'elle soit considérée comme sécuritaire, de plus en plus de recherches tendent à démontrer que la péridurale peut avoir des effets néfastes. La perturbation du délicat équilibre hormonal, en particulier l'action de la péridurale sur l'ocytocine naturelle, les explique en partie.

Une récente revue systématique du groupe Cochrane[100] attribue les effets suivants au recours à la péridurale :

- un besoin accru d'ocytocine synthétique ;
- une prolongation du deuxième stade du travail ;
- une augmentation du taux d'utilisation des forceps et des ventouses ;
- et une augmentation de césariennes justifiées par la détresse fœtale.

Avec la péridurale, les fibres qui sont à l'origine du réflexe expulsif sont engourdies, ce qui inhibe la boucle de rétroaction et le réflexe lui-même. La femme sous péridurale doit donc se servir de sa propre force pour faire naître le bébé[101]. De plus, le fait de ne pas sentir la pression du bébé, qui lui dit comment bouger, et sa difficulté à se déplacer (en raison de la diminution des sensations) ne l'aident pas à se placer dans une position verticale qui pourrait faire travailler la gravité en sa faveur. Ces différents facteurs expliquent la prolongation du deuxième stade du travail et le recours plus probable aux forceps et aux ventouses. Ainsi, le nombre d'épisiotomies (coupure du muscle du périnée) et de lacérations est également augmenté[102].

Il n'y a que peu d'études de qualité qui documentent l'impact de la péridurale sur l'allaitement. Cependant, la plupart des professionnels de la santé diront qu'ils reconnaissent les bébés nés d'une mère sous péridurale par sa lenteur à se mettre au sein. La barrière placentaire n'est pas imperméable aux substances médicamenteuses qui sont administrées à la mère lors de la péridurale. Ces substances se rendent donc au bébé, qui a plus de mal à les éliminer que la mère en raison de l'immaturité de son organisme[103]. Sa capacité et ses réflexes de succion et de tétée sont diminués, ce qui rend l'allaitement plus difficile[104].

En effet, comme la mère ne sent plus de douleur avec la péridurale, sa sécrétion de bêta-endorphines, ces analgésiques qui modifient son état de conscience[105] et produisent la prolactine, diminue de manière importante. Les recherches démontrent qu'en période post-partum le taux d'endorphines dans le lait maternel est grandement diminué. Et, comme on le sait, les endorphines transmises par le lait maternel donnent du plaisir à la mère et à l'enfant et créent une relation de codépendance entre eux.

Peu importe comment la péridurale est envisagée, dès que cette intervention a lieu, le cocktail hormonal est modifié. La femme se déplace moins et est confinée à l'intraveineuse. Elle a fréquemment un monitoring fœtal et des prises de tension artérielle, ce qui peut affecter son sentiment d'intimité du fait qu'elle se sent observée.

Pour connaître l'impact des autres interventions obstétricales sur le cocktail hormonal, je vous invite à consulter d'excellents ouvrages écrits par des spécialistes de la périnatalité[106, 107, 108].

Minimiser les effets indésirables de la péridurale

Le corps de la femme dispose de puissants mécanismes pour composer avec les contractions liées à la naissance. Le soutien, la détente, les massages douloureux et légers, le bain et tous les autres outils décrits dans ce livre ont fait leurs preuves. N'oubliez pas que la naissance est pleine de surprises. Vous pouvez ressentir des sensations intenses sans modification immédiate du col et tout d'un coup, le col se dilate et s'ouvre rapidement.

Il arrive aussi que le travail soit long et intense, ce qui peut provoquer le relâchement des hormones de stress (catécholamines) qui empêchent la dilatation du col de l'utérus. Dans ce cas, la péridurale est un précieux allié pour permettre à la femme de se détendre et au col de l'utérus de s'ouvrir.

Si, malgré toutes les mesures de confort, vous avez recours à une péridurale, voici quelques suggestions pour limiter les effets indésirables de l'intervention.

1. Attendez que le travail soit très bien amorcé avant d'envisager la péridurale (certains auteurs suggèrent plus de 4 cm de dilatation). Ainsi, vous et votre bébé bénéficierez de l'action des hormones pendant une partie de votre travail.
2. Ne cherchez pas à réduire vos sensations de 100 %. Il vaut mieux accepter de sentir encore

quelque chose, même après avoir reçu la péridurale. Optez pour de faibles dosages de substances médicamenteuses. Plus les doses sont faibles, moins elles affectent votre bébé et potentiellement l'allaitement.

3. Continuez à bouger. Variez votre position en évitant d'être allongée sur le dos. Vous serez probablement limitée dans vos déplacements, mais bougez tout de même en vous allongeant sur un côté, puis sur l'autre, en vous mettant à quatre pattes et à genoux.

4. Continuez à rester dans votre bulle avec votre partenaire ou les personnes qui vous accompagnent. Gardez le contact avec votre bébé.

5. Commencez à pousser tardivement. Attendez que la tête du bébé soit descendue dans le vagin[109].

6. Établissez le contact «peau à peau» avec le bébé dès sa naissance pour stimuler le relâchement de l'ocytocine naturelle.

Identifier vos besoins et faire des choix

L'objectif de cet ouvrage est de vous donner les outils et les connaissances qui vous permettront de vivre la naissance de votre enfant de manière satisfaisante, aisée et sécuritaire. Dès le début de la grossesse, vous aurez une importante décision à prendre : choisir le type de professionnel qui vous accompagnera tout au long de votre grossesse. Les réalités étant différentes dans chaque région et dans chaque pays, vous n'aurez pas toujours le choix. Votre confiance envers les personnes qui assurent le suivi de santé pendant la grossesse et l'accouchement est un élément qui favorise le bon déroulement physiologique de la naissance.

Récemment, une revue systématique de la documentation scientifique a permis d'évaluer l'impact du lieu de naissance sur les interventions obstétricales. Les lieux de naissance alternatifs (une chambre de naissance à même la maternité, où la technologie est camouflée, une unité de naissance séparée, mais adjacente à la maternité ; et, plus récemment, des chambres meublées et aménagées de manière à réduire les stimulations corticales et à préserver le calme, la liberté de mouvement et l'intimité) ont été comparés aux chambres d'hôpital conventionnelles, avec le lit au centre et la technologie autour. Voici les résultats obtenus :
- une réduction des interventions médicales ;
- une plus grande probabilité d'accouchement vaginal spontané ;
- une plus grande satisfaction de la mère ;
- une plus grande probabilité que la mère continue d'allaiter pendant le premier et le deuxième mois suivant la naissance ;
- aucun risque additionnel ni pour la mère ni pour l'enfant.

Comme il est difficile de savoir si c'est l'aménagement des salles ou la culture des intervenants dans ces unités qui influencent ces aspects, les auteurs de l'étude concluent que les femmes et leur partenaire devraient être informés des bénéfices des aménagements physiques qui soutiennent et valorisent l'accouchement physiologique, qui respecte les fonctions du corps.

Discutez avec votre intervenant de la façon dont vous souhaitez vivre votre grossesse et des lieux où il vous serait possible de donner naissance : domicile, maison de naissance, hôpital. Si vous choisissez d'accoucher à l'hôpital, informez-vous des options autres que pharmacologiques qui vous seront offertes pour le soulagement de la douleur (soutien continu, ballons, bains, massages). Cherchez aussi à connaître la flexibilité de l'établissement en matière d'interventions de routine (notamment en ce qui concerne le mouvement, le monitoring fœtal intermittent, l'installation de soluté, le manger et le boire, le respect de votre «bulle», le clampage tardif du cordon, le contact peau à peau avec le bébé, etc.) et informez-vous des taux d'interventions obstétricales de l'établissement ou de l'intervenant (déclenchement, césarienne, forceps, ventouses, épisiotomie, péridurale).

Mieux vous connaîtrez vos besoins, meilleures seront vos chances de vivre un accouchement satisfaisant. C'est ce que confirme une étude portant sur les quatre facteurs qui affectent la satisfaction de la mère à l'égard de l'accouchement : l'atteinte de ses objectifs personnels, la quantité de soutien offert par le personnel soignant, la qualité de la relation avec le personnel soignant et la participation aux décisions[110].

L'ACCOMPAGNEMENT

Participer à un accouchement est une expérience riche et intense. À cause de l'intensité des sensations que vivent les femmes, l'accompagnement est nécessaire. La préparation prénatale que fait l'accompagnant influence sa perception de l'accouchement. Par exemple, les pères qui ont préparé la naissance de leur enfant ont une perception beaucoup plus positive de leur conjointe que les autres[111]. Les femmes dont le partenaire participe activement à l'accouchement éprouvent moins de douleurs et sont plus satisfaites que celles dont le partenaire n'est pas présent ou ne joue pas de rôle important[112].

Plus le partenaire est bien préparé, plus l'expérience sera gratifiante. Si, pour quelque raison que ce soit, le père ne peut ou ne veut pas participer, la présence d'une personne réconfortante et aimante vous aidera grandement. La préparation prénatale s'adresse donc autant à l'accompagnant qu'à la mère.

Pour participer efficacement, l'accompagnant :

· sait comment créer les conditions propices pour favoriser un accouchement physiologique, qui respecte les fonctions du corps. Il comprend l'importance de protéger la zone zen de la femme en créant une ambiance calme, réconfortante, intime et chaleureuse. Il décode les signes de stress et de détresse et il soutient la femme avec amour;
· pratique les techniques pour moduler la perception de la douleur : la respiration (*chapitre 4*), les positions pour soulager la femme lors du travail et de l'accouchement (*chapitre 5*), les massages (*chapitre 6*), la relaxation (*chapitre 7*) et l'imagerie mentale (*chapitre 8*). Ainsi, l'accompagnant peut soutenir la femme et lui être d'un précieux secours.

Des professionnelles de l'accompagnement (doulas) sont un excellent moyen de soutenir la mère et le père pendant toutes les phases du travail. N'hésitez pas à faire appel à elles.

EXERCICE PRATIQUE : PRENDRE CONNAISSANCE DES DROITS DE LA FEMME ENCEINTE

Afin de vous guider dans vos préparatifs pour la naissance, lisez les droits de la femme enceinte publiés par l'Association de la santé publique du Québec (*voir Annexe 3 : Les droits de la femme enceinte*). Vous trouverez dans ce document une description des droits des femmes pendant la grossesse, le travail et l'accouchement et après la naissance du bébé. Vous pourriez aussi consulter les informations sur le plan de naissance préparé par la Société des obstétriciens et des gynécologues du Canada[113].

Ces démarches vous aideront à faire des choix éclairés pour vos « souhaits de naissance »; vous pourrez ensuite les revoir avec les intervenants qui vous accompagneront.

CHAPITRE 4

LA RESPIRATION

Tout au long de la grossesse, la respiration consciente, lente et profonde diminue le stress et l'anxiété, développe la force et l'endurance et permet de prendre contact avec le bébé qui grandit en soi. Pendant le travail et l'accouchement, elle réduit le stress et les sensations fortes grâce à la déviation de l'attention (troisième mécanisme).

La respiration est le reflet de notre état psychologique. Une respiration courte et saccadée indique un état de stress et une pensée agitée, alors qu'une respiration lente et profonde traduit un état de relaxation et de calme intérieur. La respiration consciente oxygène l'organisme, favorise la détente, renouvelle l'énergie vitale et clarifie la pensée.

Pendant la grossesse, la gestion du stress par la pratique d'une respiration consciente, lente et profonde, jumelée à la pratique des postures de yoga est bénéfique pour votre bébé. Une recherche[114] a démontré que la pratique de ces techniques augmente les chances de mener la grossesse à terme et réduit les risques d'avoir un bébé de petit poids. Il est maintenant reconnu que trop de stress pendant la grossesse nuit au développement de l'enfant[115].

Pendant les contractions, portez attention à votre respiration, qui vous calmera et ralentira vos pensées. Restez concentrée sur vos sensations et faites taire le mental, qui est parfois menteur. En effet, les stimulations rationnelles agitent la pensée et augmentent le stress. Évitez les chiffres, les calculs et les prédictions. La répétition de mots-clés qui calment et apaisent ainsi que le fait de maintenir votre attention sur les respirations vous aideront à vivre le moment présent, sans anticiper le futur.

Pendant et entre les contractions, les techniques respiratoires brisent le cercle peur-tension-douleur.

Sommaire du chapitre 4 : La respiration

OBJECTIFS	MOYENS
Pendant la grossesse, reconnaître quand on est sous l'effet du stress (son état psychologique)	> Observation consciente de la respiration
Pendant la grossesse, oxygéner son corps et prendre contact avec le bébé	> Pratique de la respiration de base
Pendant le travail et l'accouchement, réduire le stress et les sensations fortes, se détendre et profiter des périodes de repos	> Pratique de la respiration de base avec ou sans le chant du HU (prononcé HIOU) ou le son BOA

En matière de techniques respiratoires, le rôle de l'accompagnant est essentiellement celui d'un guide. Il rappelle à la femme d'expirer à fond et de laisser passer la contraction en relâchant les fesses, la bouche et les lèvres.

Quant à la femme, son rôle consiste à pratiquer les techniques respiratoires tous les jours, avant la pratique de la séance de yoga. Elle utilise la respiration comme indicateur de son état. À l'accouchement, elle expire lentement et à fond.

LES TECHNIQUES RESPIRATOIRES

La respiration facilite la relaxation, elle se fait sans effort et le cerveau s'en occupe rarement. Pourtant, une expiration partielle à 70% de la capacité pulmonaire pendant quelques cycles respiratoires déclenche immédiatement un sentiment d'anxiété. Au contraire, une respiration lente et une expiration profonde suffisent la plupart du temps à calmer[116].

Quand on est stressé ou qu'on a peur, on coupe sa respiration et on la retient. La quantité d'oxygène parvenant au cerveau diminue, les tissus et les muscles se raidissent. L'anxiété ainsi provoquée amorce le cycle peur-tension-douleur.

Pendant la grossesse et au moment de l'accouchement, une respiration lente et profonde :
- procure une meilleure oxygénation à la mère et au bébé ;
- augmente le travail des muscles respiratoires qui font bouger le diaphragme du périnée et celui de la respiration ;
- favorise la détente physique et mentale ;
- accroît la concentration de la mère et l'aide à contrôler ses pensées.

Le cycle et le rythme respiratoires

Chaque respiration est composée d'un cycle respiratoire qui se divise en quatre temps :

1. L'inspiration (IN) consiste à remplir les poumons d'air.
2. La rétention pleine (RP) désigne la pause lorsque les poumons sont pleins. La durée varie selon l'effet recherché. Pendant la grossesse, on ne pratique pas de rétention pleine en raison de la pression qu'exerce le diaphragme sur l'utérus.
3. L'expiration (EX) consiste à vider les poumons d'air.
4. La rétention vide (RV) désigne la pause lorsque les poumons sont vides.

Le rythme respiratoire que nous vous suggérons de pratiquer durant la grossesse est le 1-0-1-0 (IN = 1, RP = 0, EX = 1, RV = 0), ce qui signifie que l'inspiration et l'expiration sont d'une durée équivalente et qu'il n'y a pas de période de rétention (ni à plein, ni à vide). Au fur et à mesure que vous pratiquerez les techniques respiratoires, vous pourrez allonger l'inspiration et l'expiration. Inspirez et expirez pendant quelques secondes seulement, tout en douceur.

Commencez chaque séance de pratique avec l'observation consciente et passive de votre respiration. Vous définirez ainsi la durée du cycle à l'inspiration et à l'expiration. Après trois ou quatre respirations, vous serez peut-être en mesure de prolonger l'inspiration et l'expiration. Allez-y doucement. Revenez à la durée initiale pour conclure votre pratique et observez de nouveau la respiration.

COMPTER LES RESPIRATIONS AVEC LA SPIRALE

Il existe un moyen simple pour vous aider à vous concentrer sur la respiration : compter vos cycles respiratoires sur les doigts, en dessinant une spirale sur les phalanges de la main (*illustration 4.1*).

Ill. 4.1

Placez le pouce de la main gauche sur la phalange proximale de l'index de la même main. Comptez 1 pour un cycle respiratoire qui comprend l'inspiration (IN) et l'expiration (EX). Bougez le pouce sur la phalange intermédiaire de l'index pour l'exécution du prochain cycle. Procédez ainsi pour une série de 12 cycles, en dessinant une spirale qui se termine sur la phalange intermédiaire de l'annulaire.

À l'accouchement, cette spirale vous aidera à rester concentrée sur votre respiration plutôt que sur vos sensations intenses. L'objectif est de garder votre esprit occupé afin qu'il ne s'active pas à créer des pensées parasitaires du type « Je ne suis pas bonne », « Je n'ai pas ce qu'il faut pour vivre les contractions », « Les sensations sont trop fortes », etc.

Dans les paragraphes suivants, nous vous proposons quelques techniques respiratoires adaptées aux femmes enceintes.

La respiration de base

La respiration de base est une respiration simple et utile à pratiquer :

- pendant la grossesse, pour développer votre capacité pulmonaire, vous détendre, faire le plein et dégager votre esprit ;
- pendant et entre les contractions, pour rester calme, réduire le stress et les sensations intenses par la déviation de l'attention (3ᵉ mécanisme, tableau 2.1).

1. Avant de commencer l'exercice, observez consciemment votre respiration sans la changer.
2. Expirez lentement par le nez.
3. Inspirez avec tout le corps. Imaginez l'air qui entre à partir de vos pieds. Faites passer l'air dans vos jambes, votre bassin, gonflez votre poitrine qui s'élargit sur les côtés, en épaisseur et en hauteur.
4. Observez le mouvement d'ouverture.
5. Observez le mouvement de fermeture en expirant par le nez.

Quand vous inspirez, le diaphragme descend pour laisser les poumons se remplir. Quand vous expirez, le diaphragme remonte et vide les poumons. Il relâche la pression qui s'exerce sur l'utérus, ce qui procure un soulagement. Le diaphragme du périnée suit les mouvements du diaphragme respiratoire. Il descend à l'inspiration et remonte à l'expiration. C'est ce mouvement du périnée qui soulage.

Entre les contractions, respirez lentement et profondément par le nez, en relâchant la gorge. La respiration est harmonieuse et vous permet de récupérer. Restez dans votre bulle. Écoutez et observez votre respiration. Maintenez l'attention sur votre souffle. Faites le plein d'énergie. Reposez-vous.

La respiration de base en chantant

Dans cette respiration, toutes les étapes sont les mêmes que celles de la respiration de base, à l'exception de l'expiration qui se fait par la bouche plutôt que par le nez. Chantez le son HU (prononcé HIOU) ou le son BOA[117], qui font bouger le diaphragme respiratoire et celui du périnée, sans

effort. Ainsi, la pression sur l'utérus est moindre. Relâchez les fesses, la bouche et les lèvres pour que le périnée reste souple.

La respiration de base en chantant est utile pendant les contractions longues et intenses.

La respiration superficielle

Si l'envie de pousser se manifeste et que le col n'est pas complètement dilaté ou si vous devez ralentir la poussée pour protéger votre périnée, réduisez la pression sur le périnée en choisissant les positions fesses en l'air (*figures 4.1 et 4.2*). Expirez et inspirez de manière très superficielle pour éviter d'exercer une pression sur l'utérus.

Fig. 4.1

Fig. 4.2

Au besoin, consultez le tableau 4.1, qui présente une synthèse des techniques respiratoires.

Tableau 4.1 LES TROIS TECHNIQUES RESPIRATOIRES

TECHNIQUE	DESCRIPTION	UTILISATION
Respiration de base	> Expirez par le nez > Inspirez par le nez en imaginant que l'air entre de partout dans le corps > Durant la contraction, relâchez les fesses, la bouche et les lèvres	> Pour vous détendre au cours de la vie quotidienne > Entre chaque contraction > Tout au long du travail, si vous en éprouvez du bien-être
Respiration de base en chantant	> Expirez en chantant le son HU (prononcé HIOU) ou BOA pendant l'expiration	> Pendant les contractions intenses et longues > Lorsque vous avez du mal à respirer
Respiration superficielle	> Expirez et inspirez de manière très superficielle pour éviter d'exercer une pression sur l'utérus	> Lorsque le col n'est pas complètement dilaté et que vous avez envie de pousser

VOTRE RESPIRATION PENDANT LA GROSSESSE

Voici quelques consignes destinées à faciliter la pratique des techniques respiratoires pendant la grossesse :

- Faites votre pratique des techniques respiratoires à jeun, si possible le matin, sinon à tout moment de la journée.
- Pratiquez les respirations en position allongée : voir les variantes de la posture de relaxation (*figure 1.31*). Si votre musculature devient plus ferme, adoptez la posture assise en tailleur (*figure 1.10*) ou la posture assise sur les genoux (*figure 1.13*), toutes deux présentées au chapitre 1.
- Veillez à garder le dos droit, pour permettre au diaphragme respiratoire de bouger, et vos épaules baissées et roulées vers l'arrière pour dégager et ouvrir la poitrine. Quand le positionnement est adéquat, la respiration est aisée.
- Ne forcez jamais la respiration.
- Si votre tension artérielle monte, si des bouffées de chaleur apparaissent, si votre visage rougit ou si vous manquez d'air, réduisez la durée de l'inspiration et de l'expiration ou alternez avec des respirations normales.

VOTRE RESPIRATION PENDANT L'ACCOUCHEMENT

Voici maintenant quelques consignes destinées à faciliter la pratique des techniques respiratoires pendant l'accouchement :

- Pratiquez les techniques respiratoires, peu importe la position dans laquelle vous vous trouvez. Si votre respiration est courte et saccadée, assurez-vous d'avoir le dos droit, les épaules roulées vers l'arrière et la poitrine dégagée.
- Concentrez-vous sur la respiration pour rester à l'écoute de vos sensations et prévenir les jeux du mental, parfois menteur.
- Expirez à fond par le nez à chaque contraction.
- Faites des sons ou chantez le son HU ou BOA au besoin.
- Laissez la bouche, la langue et les fesses molles pour relâcher les muscles du plancher pelvien.
- Ajustez la respiration selon l'intensité de la contraction (longueur de l'expiration).
- Ne retenez jamais votre souffle, car cela ne ferait qu'augmenter la pression sur l'utérus et donc, par voie de conséquence, l'intensité de la sensation.
- Observez comment vous vous sentez pendant les contractions. La respiration est l'un des indicateurs qui vous permettent de prendre conscience

de vos sensations. Si vous ou votre partenaire montrez un des signes suivants : visage pâle ou rouge, mâchoires et dents serrées, visage tendu, mains crispées ou orteils étirés, expirez à fond et relâchez les lèvres, la bouche et les fesses.

- Profitez des périodes entre les contractions pour vous reposer. Pratiquez les respirations lentes et profondes.

EXERCICE PRATIQUE : UNE OXYGÉNATION OPTIMALE

L'exercice suivant est conçu pour vous aider pendant la grossesse et l'accouchement, car il favorise une bonne oxygénation pour vous et votre bébé. Il sert également à développer l'habitude de respirer consciemment, en période de stress.

- Effectuez deux séries de 12 respirations tous les jours, en comptant sur les doigts (*illustration 4.1*).
- Faites votre séance de respirations avant les postures de yoga ou à tout moment, le ventre vide de préférence.
- Inspirez et expirez par les deux narines, sans restreindre la gorge, selon le rythme 1-0-1-0. Allez-y progressivement et ne forcez jamais la respiration.
- Commencez avec une respiration courte et augmentez graduellement la durée de la respiration pour finir sur une respiration courte.
- Si vous êtes fatiguée, allongez-vous et reposez-vous.

Votre séance de respiration

1. Prenez la posture de relaxation (*figure 1.31*). Vers la fin de la grossesse, pratiquez en posture assise en tailleur (*figure 1.10*) ou assise sur les genoux (*figure 1.13*).
2. Yeux ouverts, observez votre respiration sans la changer. C'est la respiration consciente.
3. Yeux fermés, commencez la pratique de la série de 24 respirations de base.
4. À la fin des 24 respirations, observez votre respiration et comment vous vous sentez.
5. Notez votre pratique dans un carnet en décrivant la respiration que vous avez pratiquée (1-0-1-0, durée de l'inspiration et de l'expiration) et surtout comment vous vous êtes sentie après la séance.

Voici un exemple de la forme que pourrait prendre votre carnet de notes sur les séances de respirations.

DURÉE (s)				NOMBRE DE CYCLES
IN	RP	EX	RV	
3	0	3	0	3
5	0	5	0	18
3	0	3	0	3
			Total	24

« Au début de la pratique des respirations, j'étais un peu agitée, avec la respiration courte. Après quelques respirations, je me suis calmée et j'ai senti une paix envahir mon corps. »

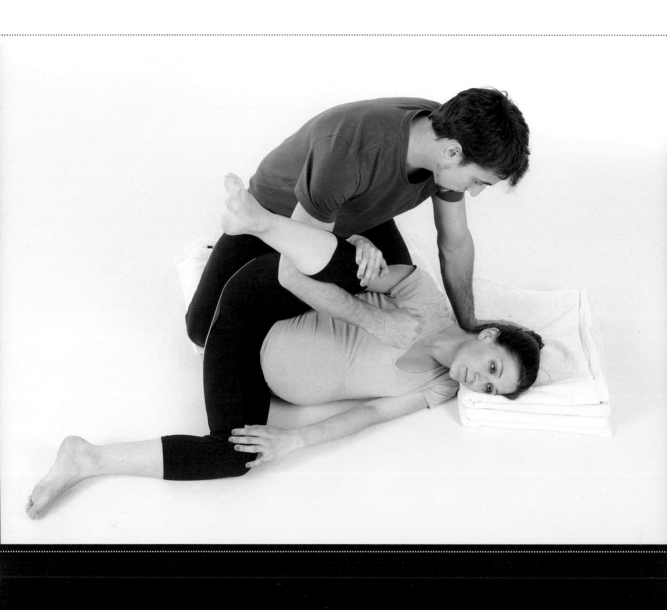

CHAPITRE 5

LE MOUVEMENT

L'époque où l'on interdisait aux femmes de se déplacer pendant le travail et l'accouchement est révolue. On sait maintenant que l'adoption de différentes positions pendant le travail augmente l'efficacité des contractions et facilite la descente du bébé dans le bassin, ce qui rend le travail plus aisé et moins long[118, 119, 120, 121].

Il n'y a pas de position universelle. Les positions qui soulagent pendant le travail varient pour chaque femme et, chez une même femme, diffèrent selon le déroulement de l'accouchement. Les positions décrites dans ce chapitre sont des propositions pour vous amener à percevoir votre corps, à soulager certains inconforts et vous donner l'envie de découvrir des façons de vous faire du bien, tout en favorisant la physiologie, c'est-à-dire les fonctions naturelles de votre corps.

Vous expérimenterez différentes positions pendant la grossesse en prenant conscience des sensations et des bienfaits qu'elles vous procurent. Soyez créative le jour de la naissance et fiez-vous à vos sensations et à votre instinct. Vous pourrez inventer des positions et des mouvements qui vous soulageront et agiront favorablement sur l'évolution du travail. En effet, en variant les positions, vous profiterez des avantages suivants :
· des contractions d'une meilleure qualité qui aident le col à se dilater ;
· une facilitation du positionnement et de la descente du bébé dans votre bassin ;
· une réduction de vos besoins en analgésiques[122].

Sommaire du chapitre 5 : Le mouvement

OBJECTIFS	MOYENS
Soulager la femme pendant toutes les phases du travail	> Pratique de positions debout, assise, à genoux et allongée qui favorisent le relâchement et la pratique des massages
Optimiser le déroulement physiologique du travail et de l'accouchement	> Pratique de positions favorisant l'ouverture du bassin, l'alignement et la descente du bébé dans le bassin de la mère
Optimiser les efforts de la mère lors de l'expulsion	> Mise en place d'un environnement propice afin que le réflexe expulsif se déclenche > Connaissance des actions à prendre si le réflexe expulsif ne se déclenche pas
Favoriser la participation active du partenaire	> Présence continue, aimante et aidante du partenaire > Collaboration du partenaire à la réalisation de positions et de massages qui favorisent le soulagement et la détente de la femme > Respect et protection de la zone zen de la femme par le partenaire

Lors du travail, le rôle de l'accompagnant consiste à aider la femme à créer sa zone zen et à y rester grâce aux positions pour masser et pour soulager. Afin que le réflexe expulsif se déclenche, l'accompagnant crée un environnement propice : lumières tamisées, ambiance d'intimité, de sécurité et d'amour. Lors de l'expulsion du bébé, il fait confiance à sa partenaire car il sait qu'elle dispose des ressources pour mettre l'enfant au monde.

Le rôle de la mère consiste à suivre ses élans pour trouver des positions qui augmentent son confort et favorisent la descente du bébé. Lors de l'expulsion, elle se positionne à la verticale (accroupie, à genoux) ou allongée sur le côté, si elle est fatiguée, et laisse descendre le bébé jusqu'à ce que le réflexe expulsif se déclenche. Même si elle a peur, elle reste courageuse et fait confiance à son corps.

BOUGER PENDANT LE TRAVAIL ACTIF

Voici quelques consignes qui pourront vous guider dans votre recherche de confort [123, 124, 125, 126, 127, 128, 129, 130, 131] :

- Suivez votre instinct. Les sensations intenses vous guideront. Cherchez à améliorer votre confort, une contraction à la fois. Faites preuve de créativité, votre partenaire et vous.
- Ajoutez aux positions proposées dans le présent chapitre les postures décrites au chapitre 1, car elles servent aussi à relâcher les tensions, à équilibrer le bassin et à favoriser la descente optimale du bébé. L'objectif des positions est de rendre l'accouchement plus aisé, efficace et sécuritaire.
- Levez les bras et allongez le dos pour faciliter votre respiration.
- Variez l'angle de vos pieds, car l'ouverture et la fermeture des pieds font bouger les articulations du bassin et facilitent la descente du bébé[132].
- Relâchez les abdominaux et les jambes afin d'éviter les tensions qui augmentent les sensations fortes des contractions. Détendez votre périnée profond en relâchant vos fesses.
- Soufflez en détendant les joues et les lèvres. Embrassez votre partenaire et laissez-vous aller en vous abandonnant totalement sur lui, sur un ballon ou sur un support. Imaginez que vous êtes toute molle à l'intérieur.
- Penchez-vous vers l'avant pour faciliter le positionnement optimal du bébé dans l'utérus (le dos du bébé est tourné contre votre ventre).
- Apportez votre tapis de yoga pour varier vos positions au sol et utilisez différents objets pour vous aider : coussins, ballons, lavabo, rebozo[133] (grand foulard pour porter le bébé), tabouret, table, chaises, etc.
- Variez vos positions au besoin et selon votre instinct.
- Évitez les positions couchées sur le dos, car elles augmentent les tensions du bas du dos, restreignent la circulation sanguine en raison de la compression de la veine cave et rendent difficile la descente du bébé.

Si au bout de quelques minutes vous observez que votre position ne vous soulage pas ou que le bébé ne descend pas, expérimentez d'autres positions en sachant qu'aucune d'elles ne réduira à zéro les sensations que vous éprouvez. Si vous avez un moniteur électronique servant à suivre la progression du rythme cardiaque de l'enfant, continuez à bouger en prenant soin de stabiliser le capteur. Au besoin, l'accompagnant peut le réorienter, tout en le maintenant au même endroit sur votre ventre, pour que l'appareil enregistre les données.

Bouger pendant le travail comporte un nombre important de bénéfices. Le premier étant celui de faciliter la dilatation du col de l'utérus. Sous l'effet de la contraction, l'utérus s'incline vers l'avant. Quand vous êtes en position debout, le dos droit, l'utérus n'a pas à lutter contre le phénomène de gravité (*figure 5.1*).

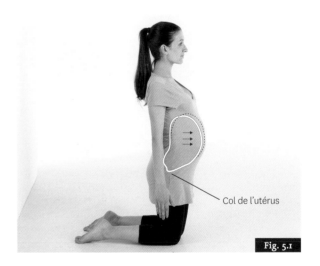

L'UTÉRUS S'INCLINE VERS L'AVANT LORS DE LA CONTRACTION

Col de l'utérus

Fig. 5.1

Quand vous êtes allongée sur le dos (*figure 5.2*) ou semi-inclinée vers l'arrière, l'utérus doit travailler contre la gravité pour faire ce travail[134].

L'UTÉRUS TRAVAILLE CONTRE LA GRAVITÉ POUR S'INCLINER

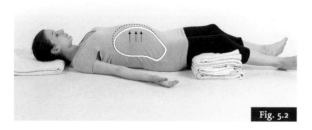

Fig. 5.2

Lorsque le dos est penché vers l'avant, l'utérus bénéficie de la gravité, ce qui l'aide à s'incliner (*figure 5.3*).

LA GRAVITÉ AIDE L'UTÉRUS À S'INCLINER

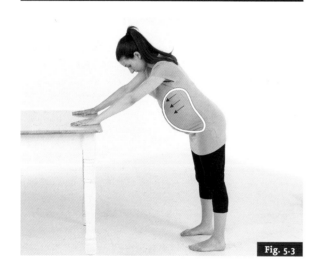

Fig. 5.3

L'utilisation du ballon

Le ballon a commencé à être utilisé dans les maternités au début des années 1990. Simple et peu coûteux, il offre plusieurs avantages que les femmes apprécient au cours du travail. Pour profiter pleinement des avantages du ballon, veillez à prendre les précautions suivantes :

· Assurez-vous que votre ballon est propre.
· Placez une couverture, un tapis de sol ou une serviette sous le ballon pour le garder propre.
· Avant de vous asseoir sur le ballon, prenez soin de le couvrir d'une serviette que vous pourrez changer au besoin.
· Stabilisez le ballon de manière à vous sentir en sécurité en vous appuyant sur votre partenaire, un mur ou une chaise, par exemple.
· Demandez le support de votre partenaire pour monter et descendre du ballon.
· Choisissez la bonne grosseur de ballon. De manière générale, lorsque vous êtes assise sur le ballon, votre avant-jambe et votre cuisse devraient former un angle droit.

Laissez aller votre imagination en utilisant le ballon de diverses manières, par exemple :

· pour masser votre dos, en le plaçant entre vous et le mur ;
· pour appuyer le haut de votre corps, en le plaçant face à vous ;
· pour vous étirer de côté, en le plaçant à côté de vous ;
· pour arquer votre dos, en reposant votre dos dessus.

Différentes positions pour faciliter le travail actif

Toutes les positions décrites dans les paragraphes suivants visent à vous soulager pendant le travail actif. Soyez courageuse, vos efforts seront récompensés.

Quatre positions debout vous sont ici proposées.

Fig. 5.4   Fig. 5.5

Fig. 5.6   Fig. 5.7

1. Debout, le front appuyé contre le mur, repliez les bras au-dessus de la tête (*figure 5.4*). Variez l'angle des pieds. Basculez doucement le bassin vers la droite puis vers la gauche.
2. Une variante consiste à prendre appui sur votre partenaire (*figure 5.5*). Lorsque vous relâchez les jambes, le dos s'allonge, ce qui procure un soulagement additionnel (*figure 5.6*).
3. Debout, le haut du corps appuyé contre le ballon qui est posé sur une table, un lit ou contre le mur, vous allongez les bras (*figure 5.7*). Variez l'angle des pieds pour faire bouger les articulations du bassin. Basculez doucement le bassin vers la droite puis vers la gauche. Cette position aide à faire descendre le bébé.

La position suivante permet le relâchement du périnée.

Fig. 5.8

Asseyez-vous sur la cuisse de votre partenaire qui est debout derrière vous (*figure 5.8*).

ÉTAPES

1. Appuyez le haut de votre corps contre le mur devant vous et élevez les bras au-dessus de la tête.
2. Relâchez les abdominaux, les jambes, les fesses et le périnée profond. Imaginez que vous êtes molle à l'intérieur.
3. Bougez le bassin en suivant les légers mouvements induits par la cuisse de votre partenaire.

POSITION À GENOUX, PENCHÉE VERS L'AVANT

Les cinq positions suivantes sont efficaces pour soulager le dos et faciliter le massage. Cherchez du confort en ajustant la hauteur du support sous les bras, en posant votre périnée sur votre partenaire ou sur un coussin semi-rigide, en plaçant une couverture entre vos talons et vos fesses ou encore en posant un pied au sol pour créer une position semi-assise, semi-accroupie. Le partenaire utilise un rebozo pour soutenir et bercer le ventre.

Fig. 5.10

ÉTAPES

1. En plaçant une couverture entre vos talons et vos fesses, vous réduirez la pression sur les chevilles (*figure 5.9*). Une pression sur le bas du dos allonge et soulage les tensions.

2. Appuyez le haut du corps sur une chaise pour créer plus de hauteur (*figure 5.10*). En posant un pied au sol de manière à ce que vous soyez à moitié à genou et à moitié accroupie, vous créerez une asymétrie qui ouvre le bassin.

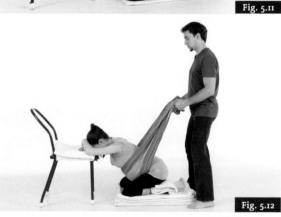

Fig. 5.11

3. Une autre manière de réduire la pression sur les chevilles et les jambes consiste à appuyer le périnée sur un support ou sur le genou du partenaire (*figure 5.11*).

4. Le rebozo est un excellent outil pour soulager les tensions du dos (*figure 5.12*). Après la naissance, il pourra servir à porter le bébé.

5. Lors de contractions intenses, appuyez les avant-bras au sol et relâchez la tête et les fesses. Le rebozo aide à créer dans le bassin une traction qui soulage (*figure 5.13*).

Fig. 5.9

Fig. 5.13

POSITION ASSISE SUR UN BALLON, PENCHÉE VERS L'AVANT

Trois positions assises sur un ballon vous sont proposées.

Fig. 5.14

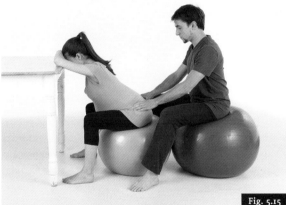

Fig. 5.15

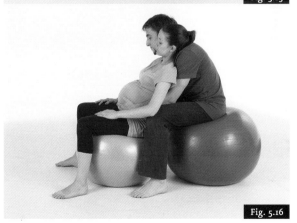

Fig. 5.16

ÉTAPES

1. Alors que vous êtes assise sur un ballon avec les orteils près du mur, allongez le dos et ouvrez la poitrine en appuyant les coudes sur le mur (*figure 5.14*).
2. Appuyez le haut du corps sur une table (*figure 5.15*). Relâchez les fesses en vous balançant sur le ballon et faites-vous masser le bas du dos.
3. Entre les contractions, reposez-vous en vous appuyant sur votre partenaire (*figure 5.16*).

EFFETS BÉNÉFIQUES

· Le ventre est incliné vers l'avant. Ainsi, l'utérus bénéficie de la gravité, qui l'aide à s'incliner et à se dilater.
· Les bras sont levés et le dos est allongé pour faciliter la respiration.
· Le bébé bouge dans le bassin grâce aux petits mouvements des hanches.

POSITION ACCROUPIE, LES BRAS EN SUSPENSION

La position accroupie, les bras en suspension, peut favoriser la descente du bébé. La pratique de cette position est facilitée par l'utilisation du rebozo, qui favorise l'allongement du dos. Les pieds sont ouverts vers l'extérieur quand le bébé est haut et ils sont parallèles quand le bébé est bas.

Trois options vous sont proposées.

ÉTAPES

1. Allongez le dos vers le haut grâce au partenaire qui est placé derrière vous (*figure 5.17*). Afin de protéger la nuque du partenaire, prenez soin de faire passer le rebozo derrière ses épaules.
2. Placez-vous devant votre partenaire (*figure 5.18*).
3. Prenez la posture accroupie, assise sur des supports semi-rigides, bras appuyés sur les genoux (*figure 5.19*).

POSITION ACCROUPIE, LE TRONC EN SUSPENSION

Fig. 5.20

Une autre façon d'obtenir les bénéfices de la posture accroupie consiste à vous suspendre entre les jambes de votre partenaire, qui est assis sur un tabouret élevé, une table ou un lit. Ses deux pieds reposent sur des chaises plus basses[135] (*figure 5.20*).

EFFETS BÉNÉFIQUES

- Les contractions sont plus fortes et plus fréquentes[136], [137].
- Les diamètres du bassin grandissent.
- La gravité favorise la descente du bébé.

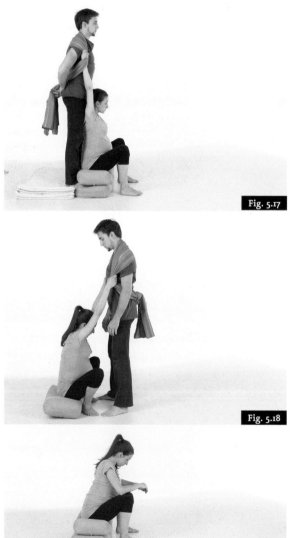

Fig. 5.17

Fig. 5.18

Fig. 5.19

Fig. 5.22

Fig. 5.21

Durant l'examen servant à mesurer la progression du travail, le partenaire soutient le poids des jambes afin que la femme relâche ses abdominaux, ses jambes et ses fesses (*figure 5.21*). Quand les genoux sont soutenus de cette manière, les muscles abdominaux, les adducteurs et le périnée se relâchent, ce qui atténue l'inconfort de la contraction.

Couchée de préférence sur le côté gauche, tête appuyée sur l'oreiller, pliez le genou droit et posez-le sur un autre oreiller. Votre bras gauche est devant vous. Lorsque la jambe fléchie se rapproche davantage de votre poitrine (*figure 5.22*), votre corps est en asymétrie, ce qui aide le bébé à s'engager et à descendre dans votre bassin. Profitez de cette position pour vous faire masser le bas du dos et vous reposer. De temps à autre, allongez-vous sur le côté droit.

Deux positions pour éviter de pousser

Il arrive que la femme ait envie de pousser[138] même si le col de l'utérus n'est pas complètement dilaté. Pour combattre cette envie, pratiquez des respirations superficielles et adoptez l'une des deux positions suivantes :

Fig. 5.23

Fig. 5.24

POSITION FERMÉE, COUCHÉE SUR LE VENTRE

La position fermée, couchée sur le ventre (*figure 5.23*), diminue la pression qui s'exerce sur le périnée, ce qui vous aide à ne pas pousser prématurément. Relâchez complètement les fesses.

POSITION À GENOUX, APPUYÉE SUR LES AVANT-BRAS

La position à genoux, appuyée sur les avant-bras peut être utilisée lorsque l'envie de pousser se manifeste avant la dilatation complète ou encore lorsque la descente du bébé ne semble pas progresser. C'est ce qui se produit parfois lorsque le bébé est placé en position occipito-postérieure (*illustration 1.11*), le dos tourné contre le vôtre. Dans la position que nous vous suggérons, les épaules de la mère se trouvent plus basses que son bassin. Ainsi, la gravité dégage la tête du bébé du bassin et lui permet de se placer plus adéquatement pour entrer dans le bassin (*figure 5.24*). Cependant, on ne doit pas y recourir si le bébé n'est pas encore engagé dans le bassin.

EFFETS BÉNÉFIQUES

· La pression du bébé sur le col est moindre, ce qui peut se révéler utile pour attendre si l'envie de pousser est forte.
· La pression sur les hémorroïdes est moindre.

TROIS POSITIONS POUR FAIRE TOURNER UN BÉBÉ EN OCCIPITO-POSTÉRIEURE

Si le bébé est en position occipito-postérieure (*illustration 1.11*), son dos contre le vôtre, il a le visage tourné vers l'avant de votre ventre. Ce n'est pas la meilleure position pour l'expulsion. Pour aider à faire tourner le dos du bébé vers le milieu de votre ventre, ne restez pas sur le dos. L'utérus doit travailler très fort pour faire pivoter le bébé et l'oxygénation de ce dernier n'est pas très bonne en raison de la compression de la veine cave qui se trouve dans votre dos. Vous pourriez plutôt pratiquer les trois positions décrites à la page suivante.

Fig. 5.25

Une variante de la position précédente consiste à exercer une traction sur le bassin avec le rebozo pour allonger et soulager le dos (*figure 5.25*).

POSITION À DEMI COUCHÉE, JAMBE PLIÉE

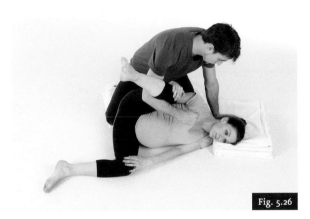

Fig. 5.26

À demi couchée sur le côté gauche pour favoriser votre circulation sanguine, pliez et relevez la jambe du dessus (*figure 5.26*). Demandez à votre partenaire de supporter votre jambe droite levée. Alternez de côté et allongez la jambe du dessous pour varier les angles d'ouverture du bassin.

Lorsqu'elle est pratiquée en alternance avec la position fermée, couchée sur le ventre (*figure 5.23*), cette position aide à modifier le positionnement du bébé.

POSITION À QUATRE PATTES AVEC DEUX BALLONS

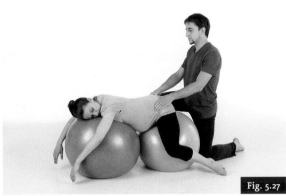

Fig. 5.27

Si le bébé est en position occipito-postérieure, vous pouvez adopter une posture à quatre pattes ou penchée en avant, le ventre relâché. Utilisez deux ballons pour vous aider à tenir la posture (*figure 5.27*). La pesanteur aidera à faire tourner le dos du bébé, qui est lourd, vers le milieu de votre ventre. Les personnes qui vous accompagnent doivent assurer votre sécurité et votre stabilité dans cette position. Des coussins peuvent être placés de manière à supporter le poids de vos avant-jambes.

EFFETS BÉNÉFIQUES
- Permet à la mère de se reposer entre les contractions.
- Soulage les hémorroïdes.
- Est adaptée pour les femmes sous péridurale.
- Peut ralentir un deuxième stade (l'expulsion) qui progresse très rapidement.

LES POSITIONS DE LA MÈRE AU MOMENT DE L'EXPULSION

La manière d'expulser le bébé varie d'une civilisation à l'autre. Depuis quelques siècles maintenant, en Occident, on demande aux femmes d'expulser en position allongée sur le dos ou semi-assise, en bloquant la respiration et en poussant avec les muscles abdominaux. Cette position s'accompagne habituellement de la respiration «bloquer-pousser», souvent pratiquée dès la dilatation complète du col de l'utérus, indépendamment de l'envie de pousser chez la femme. Ainsi, le diaphragme est abaissé, à cause de l'air remplissant les poumons, et les grands droits sont contractés par le soulèvement de la tête de la mère. Cette pression vers le bas s'exerce non seulement sur le bébé, mais aussi sur l'utérus et la vessie.

Si elle est prolongée, cette poussée peut entraîner des lésions des muscles du périnée et étirer les ligaments qui suspendent les organes. Il peut en résulter une incontinence urinaire, une faiblesse du sphincter anal et le glissement vers le bas de l'utérus ou de la vessie[139].

Cette poussée provoque d'autres effets néfastes, notamment une chute de la pression artérielle de la mère et, chez le bébé, un manque d'oxygène pouvant provoquer une décélération de son cœur[140]. Une méta-analyse publiée en 2012 et portant sur les positions lors du deuxième stade du travail révèle que l'instrumentation (forceps, ventouses) et la fréquence de l'épisiotomie sont réduites[141] pour les femmes sans péridurale qui accouchent en position verticale par rapport aux femmes qui accouchent allongées sur le dos.

La pratique concernant l'expulsion du bébé évolue à pas de tortue à travers le monde, malgré les preuves scientifiques qui corroborent les effets néfastes de la position traditionnelle et de la respiration «bloquer -pousser»[142, 143, 144, 145, 146].

Le professeur d'obstétrique américain George Engelmann (1847-1903) a publié en 1884 un ouvrage ethnographique[147] qui compare les pratiques des «peuples civilisés» aux peuples qui «se laissent gouverner par leurs instincts». Voici ce qui ressort de son étude.

Chez les peuples qui sont gouvernés par leurs instincts:
- la physionomie de la femme et la forme de son bassin déterminent si elle accouche debout, accroupie, à genoux ou allongée sur le ventre;
- les positions qu'elle adopte varient selon les stades du travail;
- la femme évite la position allongée sur le dos, particulièrement en fin de travail.

Chez les peuples «civilisés»:
- la position allongée sur le dos enseignée en obstétrique fait partie des «modes» qui ne semblent pas respecter ce que la nature a prévu;
- dans cette position, la femme doit fournir de grands efforts pour expulser son bébé, puisqu'il doit se frayer un chemin en luttant contre la force de la gravité;
- le déroulement du travail est prolongé et moins sécuritaire, aisé et agréable.

Comme de nombreux chercheurs[148], le Dr Engelmann conclut qu'il n'y a pas de raison d'astreindre les femmes à accoucher dans la position allongée sur le dos. Suivre son instinct est assurément la meilleure manière d'accoucher.

Observez les illustrations 5.1 à 5.6: inspirées des illustrations publiées dans l'ouvrage du professeur Engelmann, elles représentent des scènes d'accouchement du XIXe siècle chez des peuples qui se laissent gouverner par leurs instincts. Remarquez la présence des hommes auprès des femmes. Ces images alimenteront votre imaginaire pour la phase expulsive.

Ill. 5.1

Ill. 5.2

Ill. 5.3

Ill. 5.4

Ill. 5.5

Ill. 5.6

Le réflexe expulsif

En 1957, le Dr Constance Beynon[149], une obstétricienne du Royaume-Uni, a publié les résultats des observations qu'elle a recueillies dans un contexte où la femme qui accouche est laissée libre de suivre son instinct :

- Les poussées puissantes, involontaires et irrésistibles surviennent lorsque le bébé appuie sur le plancher pelvien. Ce mécanisme est similaire à celui de la défécation (aller à la selle).
- Il se passe un moment entre le début d'une contraction et la poussée involontaire.
- L'envie irrésistible de pousser varie d'une contraction à l'autre.

Le Dr Beynon propose qu'au lieu de presser la femme à expulser en lui disant de pousser, il serait préférable de l'encourager à prendre son temps et à pousser doucement, lorsque la poussée est irrésistible. Au chapitre 3, nous avons vu que le réflexe de Ferguson (le réflexe expulsif) se manifeste dans des conditions propices telles que celles-ci :

- L'environnement de la femme qui accouche est favorable (tranquillité, lumière tamisée, chaleur et intimité), bref quand elle se sent en sécurité et protégée.
- On évite de stimuler le cortex de la mère (en lui parlant, en la guidant ou en la rassurant).
- On laisse le bébé activer les récepteurs du plancher pelvien, lesquels donneront le signal au cerveau de libérer davantage d'ocytocine, ce qui provoquera de puissantes contractions aptes à faire descendre davantage le bébé. Pousser trop tôt a pour effet de nuire au démarrage du réflexe expulsif[150, 151].

Afin de préparer la mise en place des éléments qui contribueront à déclencher le réflexe expulsif :

- Abordez la manière de faire naître votre bébé avec le professionnel de la santé que vous avez choisi pour vous accompagner durant votre grossesse.
- Écrivez vos souhaits de naissance dans un document que vous remettrez à ceux qui seront présents à votre accouchement.
- Protégez votre zone zen.

Quand le réflexe expulsif est déclenché, vous n'avez qu'à vous laisser guider par la poussée. À chaque poussée, imaginez le vagin s'ouvrir. Ouvrez le passage pour le bébé. Concentrez votre énergie sur la descente du bébé.

Si le réflexe expulsif ne se déclenche pas ou si vous devez exercer une poussée volontaire pour faire naître votre bébé, vous pourriez exécuter la séquence de mouvements[152] décrite à la page suivante.

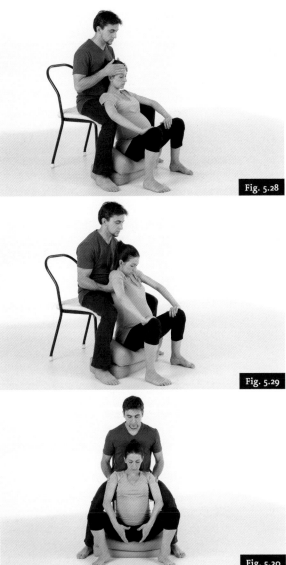

Fig. 5.28

Fig. 5.29

Fig. 5.30

ÉTAPES

1. Prenez la posture accroupie sur les supports semi-rigides (*figure 5.28*). Vous êtes appuyée sur votre partenaire qui est assis sur une chaise derrière vous.

2. Quand la contraction débute, fermez les yeux, inspirez, rentrez le menton et appuyez vos mains contre vos genoux (*figure 5.29*). Poussez doucement. Tenez le souffle pendant 5 secondes au plus[153].

3. Entre les contractions, appuyez-vous sur votre partenaire et reposez-vous (*figure 5.28*).

4. Suivez la progression de la descente de votre bébé en touchant sa tête quand elle se présente à la vulve (*figure 5.30*). Soyez celle qui l'attrapera au moment de la naissance et imaginez quelle belle histoire vous raconterez à votre enfant un jour.

La protection du périnée

La position et la respiration lors de la naissance de l'enfant auront un impact sur le périnée de la mère. Une poussée spontanée de courte durée est moins dommageable qu'une poussée bloquée de longue durée[154, 155].

Voici quelques consignes pratiques pour protéger votre périnée.

- Pratiquez quotidiennement la séance de postures de yoga pour assouplir et renforcer les muscles de votre plancher pelvien.
- Pratiquez le massage du périnée pendant la grossesse[156].
- Créez un environnement propice pour faciliter le déclenchement du réflexe expulsif [157, 158] (lumières tamisées, sentiment de sécurité, respect de votre intimité).
- Pratiquez une position verticale (à genoux ou accroupie) ou allongée sur le côté[159].
- Prenez votre temps[160].
- Ne retenez pas votre respiration pendant de longues périodes[161].
- Visualisez l'ouverture du périnée qui laisse passer le bébé et relâchez les fesses et la bouche.
- Servez-vous de vos mains pour sentir quand la tête du bébé est sur le point de sortir.
- Permettez-vous d'émettre des sons[162] qui font remonter les muscles du diaphragme respiratoire et ceux du périnée.

EXERCICE PRATIQUE : DES FILMS À VOIR OU À REVOIR

Notre perception de la naissance est influencée par les films de Hollywood : accouchements médicalisés, femmes allongées sur le dos, qui hurlent, sans contrôle, ni plaisir, ni pouvoir. Vous constaterez peut-être que les femmes autour de vous ont souvent accouché sous l'effet de la péridurale et qu'elles ont de la difficulté à comprendre pourquoi vous feriez autrement.

Afin de nourrir votre imaginaire d'images positives liées à la naissance, visionnez des films dans lesquels on voit des femmes vivre pleinement leur accouchement, en utilisant leurs propres ressources. Voici quelques suggestions de films que vous pourriez visionner en français (ou avec sous-titres français) :

- *L'arbre et le nid*[163]

- *Naissance organique*[164]

- *La naissance telle qu'on la connaît*[165]

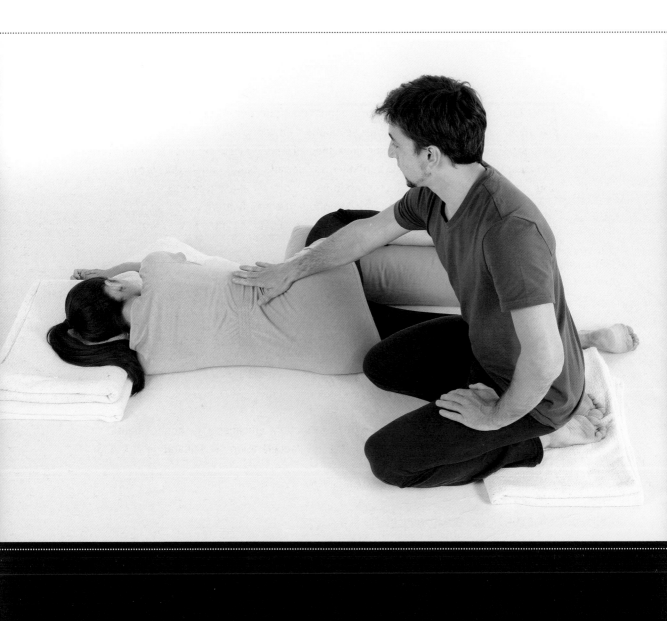

CHAPITRE 6

LES MASSAGES

Les bienfaits des massages sont reconnus. Pratiqués durant le travail, ils soulagent la femme et aident à prévenir les accouchements difficiles.

Le présent chapitre porte sur deux mécanismes visant à réduire les sensations intenses: le premier consiste à appliquer une stimulation non douloureuse sur le site douloureux, par exemple: effleurer l'abdomen ou donner un léger massage pour soulager le mal de dos; le second consiste à appliquer une stimulation douloureuse sur une zone parfois éloignée du site douloureux, par exemple: masser différents points d'acupression, ou zones réflexes.

Les principes de base pour l'exécution du massage sont toujours les mêmes:

· **Pendant la grossesse et entre les contractions,** le masseur fait des effleurements non douloureux pour soulager les zones douloureuses ou pour détendre.
· **Pendant les contractions**, le masseur crée une pression ferme et douloureuse sur les zones réflexes.

En plus de modifier la perception des sensations, le massage des points d'acupression permet d'obtenir des résultats thérapeutiques particuliers à chacune des zones réflexes, notamment:

· une stimulation du travail, grâce à des contractions efficaces et de bonne qualité;
· une réduction de la durée du travail, grâce à l'accélération de la dilatation du col de l'utérus;
· le soulagement des douleurs lombaires[166, 167, 168, 169, 170].

Les massages douloureux agissent tant sur la modulation des sensations fortes que sur le déroulement du travail et de l'expulsion.

Sommaire du chapitre 6 : Les massages

OBJECTIFS	MOYENS
Moduler la douleur dans le but de soulager la femme	> Pratique de massages non douloureux pendant la grossesse et entre les contractions > Pratique de massages douloureux d'une zone réflexe pendant la contraction
Faciliter un accouchement physiologique (qui respecte les fonctions du corps)	> Pratique de massages douloureux sur les zones réflexes
Favoriser la participation du père dans son rôle de soutien auprès de la mère	> Connaissance des massages servant à moduler la douleur et à prévenir les accouchements compliqués

Le rôle de l'accompagnant consiste à appliquer les techniques de modulation de la douleur ainsi qu'à pratiquer les massages non douloureux et douloureux sur les zones réflexes.

Le rôle de la femme consiste à faire confiance au déroulement de l'accouchement et à l'efficacité des massages pour réduire sa perception des sensations fortes.

LE MASSAGE NON DOULOUREUX

Les vertus du massage de détente sont bien connues : il réduit le stress, libère les tensions musculaires et nerveuses et irrigue les tissus. Pendant la grossesse et entre les contractions, le massage du visage vous aide à créer votre zone zen et à y rester.

Le massage du visage

Le visage comporte plus de 80 muscles responsables de l'expression des émotions. Les tensions apparaissent particulièrement au front, aux tempes et à la mâchoire. Il suffit de quelques stimulations légères pour libérer les tensions.

Pratiquez ce massage pendant la grossesse et entre les contractions. Au début du massage, effleurez puis allez-y plus en profondeur. N'utilisez pas d'huile, mais plutôt une crème hydratante. Suivez votre instinct et la tension disparaîtra.

1. Placez les deux mains sous la tête et prenez appui sous les os à la base du crâne. Exercez une pression ferme et pulsative pendant 10 secondes. Relâchez quelques secondes et répétez. Profitez-en pour placer les cheveux et la tête en les étirant légèrement vers l'arrière (*figure 6.1*).
2. Placez les pouces sur le dessus du front et tracez des lignes en faisant glisser les pouces jusqu'aux tempes. Faites trois lignes à des hauteurs différentes. Maintenez une pression ferme (*figure 6.2*).
3. Pincez les sourcils entre le pouce et l'index. Débutez à la racine du nez. Terminez au coin extérieur de l'œil. Exercez une pression légère en portant attention au bord supérieur de l'os de l'orbite. Vous y sentirez trois creux (*figure 6.3*).
4. Avec la pulpe de l'index et du majeur, décrivez des cercles de faible amplitude tout autour des tempes. Variez la direction de la rotation. Appliquez une légère pression (*figure 6.4*).
5. Descendez et contournez l'os de la joue en appliquant une pression ferme, sans appuyer sur les narines. Faites le mouvement des deux côtés en même temps (*figure 6.5*).
6. Soulevez légèrement l'os de la joue en plaçant l'index et le majeur sous l'os. Commencez à la racine du nez et terminez sur le côté, à la charnière de la mâchoire (*figure 6.6*).

Fig. 6.1 Fig. 6.2 Fig. 6.3

Fig. 6.4 Fig. 6.5 Fig. 6.6

7. Joignez les deux mains au centre du menton et pincez légèrement l'os de la mâchoire, entre le pouce et les autres doigts réunis. Faites glisser les mains jusqu'à la charnière de la mâchoire (*figure 6.7*).
8. Tournez la tête sur le côté. Massez l'oreille en pinçant le lobe de l'oreille entre l'index et le pouce. Commencez à la base de l'oreille et continuez jusqu'au sommet. Répétez des deux côtés. À l'aide de l'index, contournez l'oreille en appliquant une pression ferme sur l'os derrière celle-ci (*figure 6.8*).
9. Avec les doigts, décrivez des cercles étroits le long du cou. Travaillez uniquement sur les côtés et à l'arrière du cou. Partez du sommet des épaules jusqu'à l'os, derrière l'oreille (*figure 6.9*).

EFFETS BÉNÉFIQUES
· Élimine la tension.
· Sécurise et calme la personne massée.

Le massage du sacrum

Le sacrum reçoit une partie importante des tensions du bas du dos. Pendant l'accouchement, il doit bouger pour permettre le passage du bébé.

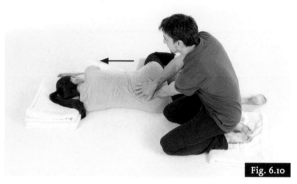

Fig. 6.10

Une simple pression non douloureuse sur cette zone aide à réduire les inconforts.
1. Descendez les mains le long de la colonne, jusqu'à la séparation des fesses.
2. Posez les mains l'une par-dessus l'autre, les doigts pointés vers la tête (*figure 6.10*).
3. **Pendant les contractions,** appliquez une pression non douloureuse sur le sacrum, sans bouger. Si vous êtes attentif, vous pourrez sentir le sacrum vibrer.
4. **Entre les contractions,** effleurez le sacrum avec la paume de la main, en montant seulement.

EFFET BÉNÉFIQUE
Soulage le bas du dos en stabilisant le sacrum qui vibre sous l'effet des contractions.

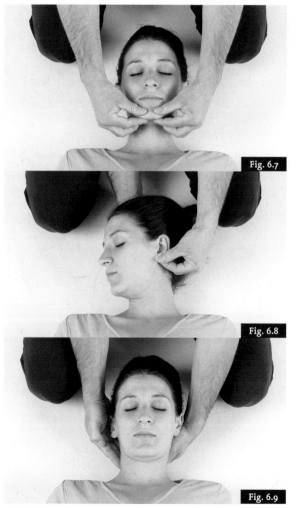

Fig. 6.7

Fig. 6.8

Fig. 6.9

Le massage du tour de hanche

Le massage du tour de hanche sert à relâcher les tensions accumulées dans le psoas, un muscle qui prend naissance dans la hanche et qui s'attache sur les vertèbres lombaires. Comme ce muscle est en continuité avec le diaphragme respiratoire, il réagit au stress émotionnel, particulièrement celui lié à la peur.

Fig. 6.11

Fig. 6.12

Fig. 6.13

Pendant la grossesse et entre les contractions, huilez le tour de la hanche.

1. À partir du sacrum, contournez la hanche avec la main et relâchez la pression une fois la main arrivée sur les côtés et le ventre (*figures 6.11, 6.12 et 6.13*).
2. Revenez en appliquant une pression légère sur le sacrum.

EFFET BÉNÉFIQUE

Soulage et relâche les muscles du psoas et du dos souvent tendus par la grossesse.

Le massage du muscle de la fesse (VB30-Huantiao)

Le point VB30 est situé dans la fesse. Il se trouve à l'intersection de l'obturateur interne et du jumeau inférieur, les muscles qui relient le bassin au bord supérieur du grand trochanter (tête du fémur) (*illustration 6.1*).

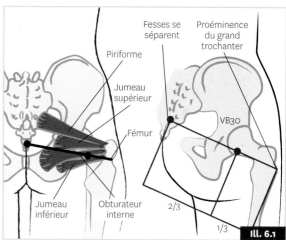

Fesses se séparent

Proéminence du grand trochanter

Piriforme

Jumeau supérieur

Fémur

VB30

Jumeau inférieur

Obturateur interne

2/3

1/3

Ill. 6.1

Fig. 6.14

Fig. 6.15

Fig. 6.16

Fig. 6.17

Fig. 6.18

1. Longez le côté de la jambe, la main à plat, pour sentir la protubérance du grand trochanter, sur la tête du fémur. Placez le doigt juste au-dessus de cette bosse.
2. Imaginez l'endroit où les fesses se séparent et, sur ce point, placez un doigt de la main opposée.
3. Tracez une ligne entre ces deux points et séparez-la en trois parties égales.
4. Le point qui correspond au premier tiers près du grand trochanter est le piriforme. Vous ressentirez un engourdissement ou une décharge électrique au toucher avec pression.
5. **Durant la grossesse et entre les contractions,** appliquez une pression continue sur le point VB30 pendant 7 ou 8 secondes, puis relâchez (*figure 6.14*).
6. **Pendant le travail, particulièrement entre les contractions,** balayez avec la paume de la main, du muscle de la fesse (*figure 6.15*) vers les côtes (*figure 6.16*), et du muscle de la fesse (*figure 6.17*) le long de la jambe (*figure 6.18*).

EFFET BÉNÉFIQUE
Soulage les tensions du bas du dos et des jambes.

LES MASSAGES DOULOUREUX

Le deuxième mécanisme de modulation de la douleur consiste à produire une seconde douleur n'importe où sur le corps, et ce, afin de stimuler la libération d'une morphine naturelle qui atténuera les sensations douloureuses partout dans le corps, sauf dans la zone de la seconde douleur. Plutôt que d'appliquer la stimulation douloureuse n'importe où sur le corps, nous vous proposons de cibler des points d'acupuncture reconnus pour leurs bienfaits lors de l'accouchement[171, 172, 173]. De cette manière, vous obtiendrez à la fois les effets inhérents à la provocation d'une seconde douleur, grâce à la libération d'endorphines, et les effets thérapeutiques associés à la technique de l'acupression.

Selon cette science ancienne qu'est l'acupuncture, le corps est parcouru par des circuits énergétiques appelés «méridiens». On y trouve aussi des points appelés «zones réflexes» où l'on peut mobiliser l'énergie pour corriger des ennuis de santé (*illustration 6.2*). Chaque méridien est associé à un organe et porte son nom: méridien de la vessie (V), du gros intestin (GI), du foie (F), de la vésicule biliaire (VB), etc. Il y a 14 principaux méridiens en acupuncture.

Certains professionnels de la santé utilisent l'acupuncture au moment de l'accouchement pour réduire les complications parfois associées à la naissance. Ainsi, ils parviennent à faciliter le déroulement du travail et à prévenir les difficultés telles que la diminution de la fréquence et de l'intensité des contractions, un positionnement et une descente inefficaces du bébé, etc. Il est probable que l'intervenant posera probablement des aiguilles sur les mêmes points que ceux qui vous sont enseignés ci-après. Dans ce cas, créez une seconde douleur n'importe où sur le corps.

Voici quelques consignes pour vous aider à repérer et à utiliser ces points.
· Ils sont tous situés dans un creux, souvent en appui contre un os.
· Lorsqu'on les stimule par acupression, le sujet ressent une sensation d'engourdissement ou de décharge électrique.
· Ils agissent ensemble pour créer des contractions efficaces et faciliter la dilatation cervicale.
· Les points doivent être stimulés en alternance, d'un côté puis de l'autre.
· La stimulation doit être douloureuse et durer tout le temps d'une contraction.

À l'exception du point VB30 dans la fesse, la pratique de massages profonds est interdite pendant la grossesse en raison des contractions que ces points peuvent provoquer.

LES ZONES RÉFLEXES

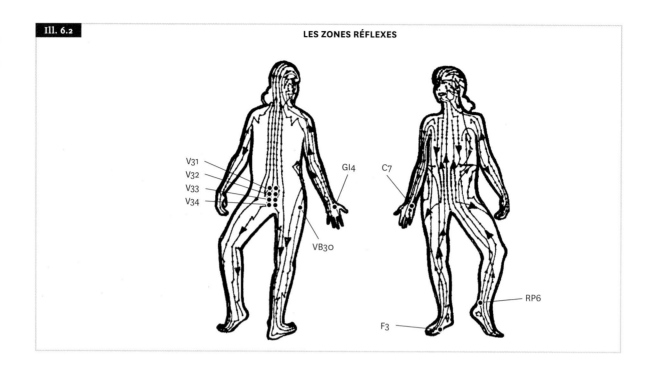

Stimulation de la vésicule biliaire, ou point VB30-Huantiao

La stimulation douloureuse du point VB30 pendant la contraction module la douleur dans tout le corps, sauf dans la zone stimulée.

EFFET BÉNÉFIQUE
Soulage les tensions du bas du dos et des jambes.

Fig. 6.19

La pression douloureuse peut être créée par un doigt ou par le coude. **Pendant les contractions,** appliquez une forte pression douloureuse qui dure toute la période de la contraction.

Stimulation de la vessie, ou points V31 à V34

Les points V31 à V34 sont situés dans le sacrum et correspondent aux huit trous sacrés que comporte cet os. Ces points sont la base de plusieurs traitements d'acupuncture à l'accouchement en raison de leur action sur les contractions. Cependant, ils sont parfois difficiles à localiser.

Fig. 6.21

Pendant la grossesse, massez ces points avec la paume de la main seulement, de façon non douloureuse, puisque ces points peuvent stimuler les contractions (*figure 6.21*).

Pendant les contractions, appliquez une forte pression douloureuse qui dure toute la période de la contraction.

Commencez par le V31 en massant les deux côtés à la fois et continuez avec les points V32, V33, V34.

EFFETS BÉNÉFIQUES

- Soulage les maux de dos pendant les contractions.
- Influence les contractions en les rendant constantes et efficaces.

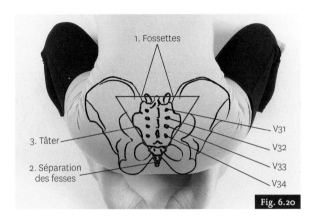

1. Fossettes

3. Tâter

2. Séparation des fesses

V31
V32
V33
V34

Fig. 6.20

Avant de procéder au massage douloureux, il vous faut repérer les points V31 à V34. Pour y arriver, dessinez un triangle imaginaire sur le sacrum pour visualiser la zone où ces quatre points se trouvent. Voici comment vous devez procéder pour les repérer :

1. Dessinez la ligne du haut du triangle. Elle est à la même hauteur que les deux fossettes qui sont situées au bas et de chaque côté de la colonne vertébrale (*figure 6.20*).
2. Placez un point là où se séparent les fesses. Cela correspond à la pointe du triangle.
3. Définissez la largeur du triangle en tâtant les côtés du sacrum. Dessinez les deux lignes qui complètent le triangle.
4. À l'intérieur du triangle se trouvent les points V31 à V34. Ils sont situés l'un au-dessous de l'autre et à la même hauteur, de chaque côté. Ils sont de la même largeur que la colonne vertébrale.

Stimulation du gros intestin, ou point GI4-Hegu

Le point GI4 est fréquemment utilisé dans les cours d'autodéfense. Il est très efficace en raison de sa facilité d'accès et de la douleur qu'il provoque.

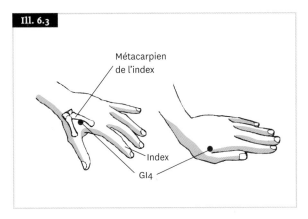

Ill. 6.3

Métacarpien de l'index

Index

GI4

1. Avant de procéder au massage douloureux, il vous faut repérer le point GI4.
2. Pour y arriver, longez l'index en partant du bout du doigt. Vous trouverez un petit creux près de la rencontre des métacarpiens (*illustration 6.3*). Vous pouvez aussi pincer, avec le pouce et l'index, à l'angle formé par le premier et le deuxième métacarpien.
3. **Pendant les contractions,** appliquez une pression ferme et douloureuse.

EFFET BÉNÉFIQUE

Travaille avec les autres zones réflexes pour régulariser les contractions.

Stimulation du foie, ou point F3-Taichong

Le point F3 est facile d'accès durant toute la durée des contractions. Cependant, certaines femmes ne ressentent pas une vive sensation avec la stimulation de ce point. Dans ce cas, optez pour d'autres points.

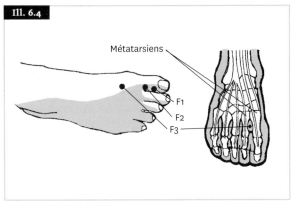

Ill. 6.4

Métatarsiens

F1
F2
F3

1. Avant de procéder au massage douloureux, il vous faut repérer le point F3. Pour y arriver, glissez l'index entre le gros orteil et le deuxième orteil, jusque dans un creux placé avant l'intersection des métatarsiens. Le point F3 est plus facilement localisable lorsque l'index entre en crochet dans ce creux et s'appuie sur le métatarsien du gros orteil. Ne pas confondre le point F3 avec les points F1 et F2 situés le long du gros orteil (*illustration 6.4*). Quand vous effectuez cette localisation, votre partenaire doit avoir les deux pieds à plat au sol.
2. **Pendant les contractions**, appliquez une pression ferme et douloureuse sur le point F3.

EFFET BÉNÉFIQUE

Travaille avec les autres zones réflexes pour régulariser les contractions.

Stimulation de la rate, ou point RP6-Sanyinjiao

Le point RP 6 est bien connu en médecine chinoise et dans la littérature scientifique pour son effet de réduction de la douleur. Il est facile à localiser et est généralement très douloureux.

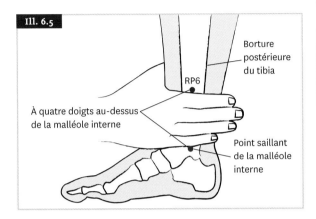

Ill. 6.5

Borture postérieure du tibia

RP6

À quatre doigts au-dessus de la malléole interne

Point saillant de la malléole interne

1. Avant de procéder au massage douloureux, il vous faut repérer le point RP6. Pour y arriver :
- Localisez la malléole interne de la cheville (à l'intérieur de la jambe).
- Trouvez le point saillant et central de la malléole interne.
- Posez quatre doigts en travers, à partir du point saillant de la malléole. Le point RP6 se trouve à l'intérieur et contre l'os du tibia (*illustration 6.5*).
2. **Pendant les contractions,** appliquez une pression ferme et douloureuse.

EFFET BÉNÉFIQUE

Travaille avec les autres zones réflexes pour régulariser les contractions et pour réduire la douleur[174].

Stimulation du cœur, ou point C7-Shenmen

Le point C7 est parfois difficile à localiser, car il ne procure pas toujours une sensation nette d'engourdissement. Pour vous aider, prenez soin de localiser l'os pisiforme et le tendon. Débutez avec la main gauche, comme sur l'illustration 6.6.

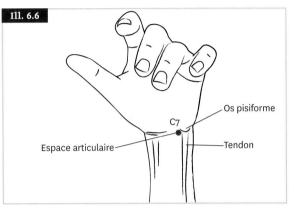

Ill. 6.6

Os pisiforme

C7

Espace articulaire

Tendon

Avant de procéder au massage douloureux, il vous faut repérer le point C7. Pour y arriver :
1. Débutez avec la main gauche en fléchissant légèrement le poignet pour faire ressortir le tendon.
2. Localisez l'os pisiforme. Le point C7 se situe sur le rebord interne du pisiforme, contre l'os. Ne pas confondre avec d'autres points qui se situent dans cette zone.
3. **Pendant les contractions,** appliquez une pression ferme et douloureuse.

EFFET BÉNÉFIQUE

Travaille avec les autres zones réflexes pour régulariser les contractions.

EXERCICE PRATIQUE : RECEVOIR UN MASSAGE

Quand vous sentez de la fatigue et des tensions dans le bas du corps, demandez à vous faire masser de manière douce et agréable le sacrum, le tour de hanche et le muscle fessier.

CHAPITRE 7

LA RELAXATION

Le stress peut avoir un effet positif et stimulant, mais s'il n'est pas régulièrement désamorcé, il nous épuise et réduit notre qualité de vie de façon importante.

Repos et relaxation sont des facteurs de santé en tout temps. Toutefois, au cours de la grossesse et de l'accouchement, leur importance s'accroît, car ils préviennent la fatigue, assurent le bien-être physique et mental, désamorcent les tensions du corps et les sensations fortes au moment de l'accouchement, et préparent à la pratique de l'imagerie mentale.

Sommaire du chapitre 7 : La relaxation

OBJECTIFS	MOYENS
Désamorcer stress, fatigue et inconfort	> Pratique de la relaxation
Préparer l'imagerie mentale (chapitre 8)	> Pratique de la relaxation
Désamorcer le cycle peur-tension-douleur	
Favoriser une attitude de calme et de confiance	> Pratique de la relaxation
Laisser passer les sensations qui apparaissent et disparaissent	

Pendant l'accouchement, le rôle de l'accompagnant est de rappeler à la femme de se détendre et de s'abandonner aux sensations fortes.

Le rôle de la femme consiste à se détendre et à rester calme pour désamorcer les sources de tension.

DÉSAMORCER LA PEUR PAR LA RELAXATION

Dans les années 1930, l'obstétricien anglais Dr Dick-Read a été un fervent militant pour l'accouchement naturel. Au cours de sa pratique, il a observé que la peur et l'angoisse créent des tensions qui, à leur tour, accentuent la douleur. C'est le cycle peur-tension-douleur[175]. Vous pouvez atténuer les effets de ce cercle vicieux en vous préparant mentalement et en pratiquant les techniques pour moduler les sensations fortes. Par la répétition mentale d'attitudes positives («Je vais bien et je suis calme»), vous pourrez gérer vos sensations et vous réussirez à vous adapter aux impondérables de l'accouchement.

La relaxation joue un rôle clé dans le vécu de l'accouchement. Détendu, le corps se revitalise et procure un bien-être global. De plus, grâce à l'action du troisième mécanisme, le contrôle du système nerveux central par la pensée, la relaxation permet de conditionner la pensée et de considérer la contraction comme essentielle au déroulement du travail. À l'accouchement, la détente induite par la respiration est utilisée pendant les contractions pour relâcher la mâchoire, les abdominaux, les adducteurs et les muscles du périnée. L'apprentissage de la relaxation, avec l'aide d'un enregistrement audio, vous aidera à vous familiariser avec les bases des méthodes de relaxation active et passive. Plus vous vous exercerez, meilleurs seront les résultats. Rappelez-vous que les sensations apparaissent et disparaissent.

Ce chapitre vous propose des méthodes et des trucs pour apprendre à vous relaxer. Voici quelques conseils à appliquer quels que soient l'endroit et le moment où vous choisissez de relaxer.

· Pratiquez la relaxation sous une lumière tamisée, à l'écart des bruits, dans des vêtements amples et à une température confortable, pour mieux détendre vos muscles.
· Créez votre détente physique en choisissant l'approche qui vous réussit le mieux. Si vous maîtrisez déjà une méthode de relaxation efficace, utilisez-la.
· Prévoyez une période de relaxation par jour.
· Si vous travaillez selon un horaire structuré, profitez au maximum des temps d'arrêt (pause santé et heure de repas). Prenez également une période de détente entre le travail et toute autre obligation.
· Apprenez à vous détendre au cours de la grossesse et vous serez en mesure de bien le faire au moment de l'accouchement.

La tension peut être source d'inconfort et de retard dans la progression du travail. Le repos et la relaxation réduisent la fatigue et vous aident à répondre aux exigences de l'accouchement.

QUELQUES POSTURES DE RELAXATION

On peut se détendre dans chacune des postures décrites dans les paragraphes suivants. Pratiquez la relaxation chaque fois que vous êtes au repos.

Couchée sur le dos

Cette posture, particulièrement confortable au début de la grossesse, peut cependant causer des problèmes à un stade plus avancé, en raison de la pression exercée par le poids du bébé sur la veine cave et le bas du dos.

Fig. 7.1

1. Placez le support semi-rigide sous les genoux. Placez une couverture pour la tête (le front devra être légèrement en pente descendante vers le menton).
2. Allongez-vous en roulant sur le côté.
3. Élargissez vos fesses en attrapant la peau sous les ischions (les os pointus sous les fesses) et en la sortant sur les côtés pour que le bas du dos soit bien appuyé au sol (*figure 7.1*).
4. Relâchez les pieds vers l'extérieur.
5. Relâchez la poitrine, sans qu'elle s'affaisse.
6. Relâchez les jambes sans bouger dans la posture.
7. Les bras sont allongés à un angle d'environ 60° avec la poitrine. Faites une rotation de la partie supérieure de vos bras, de vos coudes et de vos poignets afin que les paumes des mains soient tournées vers le plafond et que les mains reposent sur la jointure du centre de la main.
8. Assurez-vous que c'est le centre de votre crâne qui est en contact avec le sol.
9. Portez attention à la symétrie de votre corps. Permettez à vos paupières supérieures de s'abaisser sur les paupières inférieures, relâchez les globes oculaires dans leurs ouvertures et relâchez toute tension accumulée autour des yeux, des tempes et des lèvres.

Couchée sur le ventre

Cette position est reposante lors de la dernière phase de la grossesse et pendant le travail.

Fig. 7.2

- Couchez-vous sur le ventre, en vous tournant légèrement sur votre côté préféré. Notez cependant qu'en vous couchant sur le côté gauche vous favoriserez une meilleure circulation sanguine.
- Étendez le bras derrière vous. Pliez-le légèrement.
- Posez la tête et une partie de la poitrine sur le sol.
- Pour reposer le dos et l'abdomen, pliez légèrement la jambe devant vous en l'appuyant sur un support (*figure 7.2*).

Couchée sur le côté

Tout comme la précédente, cette position est reposante lors de la dernière phase de la grossesse et pendant le travail.

Fig. 7.3

- Couchez-vous sur votre côté préféré. De temps à autre, changez de côté.
- Appuyez la tête sur le support.
- Pliez légèrement la jambe devant vous en l'appuyant sur un support (*figure 7.3*).
- Allongez un bras devant vous. Reposez l'autre sur un support devant vous.

LES MÉTHODES DE RELAXATION

Des chercheurs ont élaboré deux méthodes simples pour faire l'apprentissage de la relaxation: la relaxation musculaire progressive (active) et la relaxation autogène (passive). Pratiquez la méthode qui vous convient le mieux, ou combinez les deux. L'important est de savoir que seule une pratique quotidienne peut vous amener à maîtriser la relaxation. Au début, vous aurez peut-être l'impression de perdre votre temps, vos pensées seront agitées et vous éprouverez de l'impatience. Dès que votre corps s'habituera à la relaxation complète, qui est bien différente de ce que l'on considère comme un état détendu, il en redemandera. Par la suite, le simple fait de prendre la posture de relaxation suffira à créer une détente rapide dans tout votre corps.

EXERCICE PRATIQUE : LA MÉTHODE ACTIVE ET LA MÉTHODE PASSIVE

Comme la pratique est le meilleur moyen d'apprendre la relaxation, nous vous proposons dans les paragraphes suivants deux exercices à faire quotidiennement.

La relaxation musculaire progressive (active)

Fig. 7.4

La relaxation musculaire progressive est une méthode qui convient bien aux gens qui éprouvent de la difficulté à se concentrer. Elle s'appuie sur la différence entre tension et relaxation[176].

1. Prenez la posture de relaxation de votre choix (*figures 7.1, 7.2 ou 7.3*).
2. Fermez les yeux et portez attention à votre respiration pendant quelques instants.
3. Enchaînez avec l'exercice de respiration du chapitre 4 (deux spirales de 12 respirations avec le rythme 1-0-1-0).
4. La relaxation musculaire progressive comporte trois étapes. Contractez fortement un muscle et observez la tension ressentie. Relâchez ensuite ce muscle et portez votre attention sur la différence entre les deux sensations : muscle contracté et muscle relâché.

5. Commencez en contractant les pieds. Serrez les pieds en soulevant les talons du sol et en ramenant les orteils vers les genoux. Remarquez la sensation que ce mouvement procure : les muscles sont tendus et raidis et les pieds tremblent un peu. Sentez la tension dans les pieds. Maintenez cette contraction quelques secondes. Pendant que vous serrez les pieds, détendez toutes les autres parties de votre corps.
6. Relâchez la tension dans les pieds. Relaxez-les. La tension disparaît. Remarquez à quel point les pieds semblent plus lourds que lorsqu'ils étaient tendus. Ils ont perdu leur tension.
7. Remarquez la différence de sensations entre les pieds tendus et les pieds détendus. Vos pieds picotent-ils ou sont-ils chauds ? La tension que vous sentiez lorsque le pied était tendu a-t-elle disparu lorsque vous avez relâché votre pied ?
8. Continuez en créant une tension dans chaque grand groupe musculaire. Progressez des pieds vers la tête ou de la tête vers les pieds en tendant et en relâchant les muscles des jambes, de l'abdomen et du bassin, du dos, des bras et des mains et du visage. La technique de base ne change pas : contractez le muscle, relâchez la tension, puis constatez la différence.
9. Une autre variante consiste à contracter toutes les parties à la fois (*figure 7.4*).

Le travail sur tous les grands groupes musculaires ne prend que quelques minutes. Cet exercice peut se pratiquer en position assise ou couchée ; essayez-le dans une atmosphère calme et détendue, vêtue de vêtements amples.

L'exercice suivant vous aidera à sentir les résultats de la relaxation active. Cette pratique vous prépare à induire la relaxation en vue de l'accouchement.

La relaxation autogène (passive)

La relaxation autogène fait passer l'esprit avant le corps. Par simple suggestion, vous conditionnez votre corps en lui dictant comment il doit se sentir. Vous obtenez ainsi une réponse de relaxation chaque fois que vous vous sentez tendue ou stressée[177].

1. Prenez une posture de relaxation (*figures 7.1, 7.2 ou 7.3*).
2. Fermez les yeux et portez attention à votre respiration pendant quelques instants.
3. Enchaînez avec l'exercice de respiration du chapitre 4 (deux spirales de 12 respirations avec le rythme 1-0-1-0).
4. Répétez des suggestions apaisantes, comme : « Je suis calme », « Je vais bien », etc.
5. Concentrez-vous sur différentes parties de votre corps. Débutez par les pieds et remontez jusqu'à la tête ou l'inverse. Répétez mentalement que la partie de votre corps que vous souhaitez détendre est lourde et chaude, par exemple : « Ma main droite est lourde et chaude. Elle semble devenir plus lourde et plus chaude. » Répétez trois fois chaque affirmation. Faites de même en vous concentrant sur la main gauche, la jambe gauche, etc., jusqu'à ce que vous soyez complètement détendue.
6. En finissant l'exercice, respirez profondément et étirez-vous.
7. Ouvrez les yeux, expirez doucement et observez comment vous vous sentez.
8. Notez dans votre carnet ce que vous avez vécu.

Cette technique convient bien aux gens qui se concentrent facilement. Son apprentissage demande du temps et surtout de la détermination. Commencez deux fois par jour, 10 minutes à la fois. Quatre à huit semaines plus tard, vous obtiendrez un niveau de relaxation satisfaisant en 5 minutes seulement. En progressant, vous verrez qu'il est de plus en plus facile de vous détendre à volonté. En perfectionnant ces techniques, vous pourrez vous détendre n'importe où, n'importe quand.

....

CHAPITRE 8

LA PRÉPARATION PSYCHOLOGIQUE

La préparation psychologique fait partie du contrôle du système nerveux par la pensée et l'esprit, l'une des méthodes associées au troisième mécanisme de modulation des sensations fortes de la naissance. Comme vous le savez déjà, ce mécanisme est activé pendant le travail et l'accouchement par le soutien continu d'une personne aimante, la respiration consciente, la relaxation et l'imagerie mentale ainsi que, de façon globale, par la cognition.

Par cognition, nous entendons ici la signification que l'on donne personnellement à un événement tel que le travail et l'accouchement (par exemple : « Accoucher est naturel, car les femmes le font depuis la nuit des temps »), la manière dont on perçoit la sécurité relative à l'événement (par exemple : « Accoucher est risqué, car bien des complications peuvent se produire ») ou la manière dont on perçoit nos propres capacités (par exemple : « J'ai en moi toutes les ressources nécessaires pour accoucher » ou « Les autres savent faire mieux que moi »).

Tout au long de cet ouvrage, nous avons tenté de vous démontrer que votre corps constitue une ressource extraordinaire pour faire grandir et naître votre enfant. En prenant connaissance des différents chapitres, vous avez structuré votre pensée de manière à considérer que vous possédiez tout ce qu'il faut pour y arriver : c'est la cognition positive. Vous avez notamment appris que certaines postures de yoga vous permettent de développer la force et la souplesse nécessaires pour porter votre enfant et le mettre au monde. Vous avez aussi constaté qu'un puissant système hormonal présent dans votre organisme a pour but de rendre votre travail aisé et sécuritaire.

Vous avez également compris que des mécanismes permettant de modifier les signaux envoyés à votre cerveau vous permettent de moduler les sensations fortes liées aux contractions. Enfin, vous avez découvert que la respiration consciente, l'émission de sons et la capacité à accueillir les émotions fortes liées au travail sont autant de ressources mises à votre disposition pour donner naissance de façon sécuritaire et satisfaisante.

Des recherches[178] ont démontré que certaines techniques visant à contrôler le système nerveux par la pensée et l'esprit réduisent la fréquence des interventions obstétricales tout en améliorant la santé du bébé et la satisfaction de la mère. On peut supposer que si la mère est préparée psychologiquement pour la grossesse et la naissance, la peur et l'anxiété seront moindres. Cette attitude zen crée un environnement favorable pour la naissance.

Nous vous proposons dans les paragraphes suivants trois techniques de préparation psychologique pour vous aider à créer votre zone zen pendant la grossesse et l'accouchement :
· la pratique de l'attitude positive et de la gratitude ;
· la technique de libération émotionnelle ;
· l'imagerie mentale.

Ce chapitre vous aidera à intégrer une attitude zen à votre quotidien.

Sommaire du chapitre 8 : La préparation psychologique

OBJECTIFS	MOYENS
Adopter une attitude zen pendant la grossesse et à l'accouchement Composer avec les sensations fortes de l'accouchement	> Pratique de l'attitude positive et de la gratitude pour réduire l'anxiété et le stress > Pratique de la technique de libération émotionnelle afin de reconnaître et d'accepter les émotions négatives pour ensuite les transformer en émotions positives > Direction de l'attention par l'imagerie mentale
Conditionner des messages positifs en relation avec les étapes qui inspirent une certaine appréhension	> Pratique de l'attitude positive et de la gratitude > Visionnement de films ou discussion avec une personne-ressource compétente
Reconnaître ses émotions négatives	> Pratique de la technique de libération pour libérer ces émotions
Développer une vision saine de l'accouchement dans le but de prévenir les déceptions	> Formulation d'objectifs réalistes face au travail et à l'accouchement (éviter les modèles rigides qui laissent peu de place aux imprévus) > Visualisation de multiples scénarios fondés sur une attitude de calme et de confiance

S'ils veulent se préparer psychologiquement à la naissance, le père et la mère ont besoin d'expérimenter diverses techniques psychologiques afin d'être en mesure d'élaborer leur propre zone zen pendant la grossesse et l'accouchement. Tous deux doivent aussi créer les conditions propices pour un accouchement satisfaisant et sécuritaire tout en sachant lâcher prise devant les impondérables.

POSITIVISME ET GRATITUDE

Les pensées influent sur les émotions et les émotions, sur le corps. Une attitude positive consiste à voir ce qui va bien plutôt que ce qui va mal et à reconnaître ce qu'il y a de beau et de bon dans chaque situation. Les pensées ainsi créées stimulent la sécrétion des endorphines et des hormones qui génèrent un bien-être et améliorent la santé. La preuve? Pensez à un être cher, à ses caresses et à son sourire. Votre cœur s'ouvre et vous vous sentez détendue et heureuse. Au contraire, pensez à un conflit que vous vivez et votre corps se raidit.

La répétition d'affirmations positives et l'expression de gratitude sont des exemples d'outils qui peuvent vous aider à entretenir une attitude positive afin de créer votre espace de bien-être.

Les affirmations positives

Voici quelques exemples d'affirmations à répéter plusieurs fois par jour, à voix basse ou haute, pendant la grossesse et à l'accouchement.

- J'ai ce qu'il faut pour faire grandir mon enfant et le faire naître.
- Mon corps et mon bébé savent travailler ensemble.
- Accoucher est sécuritaire pour mon bébé et pour moi.

Concevez les affirmations personnelles qui vous aideront à vivre une grossesse agréable et un accouchement satisfaisant. Formulez vos affirmations au présent, sur un mode indicatif («Je suis…», «Je me sens…», «Je me vois…») et non sur un mode conditionnel («Je voudrais…», «Je me sentirais…», «Je me verrais…») et donnez-leur une forme positive («Je suis calme» et non «Je ne suis pas stressée»).

L'expression de gratitude

Pour vous aider à cultiver des sensations positives, pratiquez régulièrement l'exercice suivant pendant une période de 15 à 20 minutes. Il vous permettra de combiner plusieurs autres outils présentés dans cet ouvrage. Cet exercice porte sur la gratitude, une vertu qui ouvre le cœur et mène droit à la zone zen.

1. Installez-vous confortablement dans une posture de relaxation.
2. Chantez à voix haute le son HU (prononcé HIOU) pour développer votre capacité respiratoire et détendre les diaphragmes du périnée et de la respiration. Vous pouvez également le chanter à voix basse ou mentalement.
3. Pendant que vous chantez, portez votre attention sur la zone située entre vos deux sourcils, à quelques centimètres à l'intérieur de votre boîte crânienne, sans forcer avec les yeux.
4. Imaginez un écran sur lequel vous visionnez les événements positifs et agréables de votre journée[179]. Commencez avec le moment présent et remontez la journée jusqu'à votre réveil du matin.
5. Remémorez chaque petite sensation, situation, émotion ou pensée qui a été agréable pour vous: un sourire, un aliment que vous avez mangé, une pensée agréable, la chaleur sur votre corps, le bébé qui a bougé, une caresse, etc.

LA LIBÉRATION ÉMOTIONNELLE POUR RÉDUIRE LE STRESS

La technique de libération émotionnelle[180, 181] consiste à reconnaître les émotions négatives que l'on vit pour les objectiver et les questionner afin de trouver un mieux-être, la zone zen. Il est important de reconnaître ses émotions négatives et de les ventiler, car de cette manière, ce qui est exprimé ne laisse pas de traces dans le corps.

La technique de libération émotionnelle est une forme d'autotraitement qui vise à réduire le stress grâce aux circuits énergétiques du corps et à un travail sur les émotions. Elle combine donc deux approches thérapeutiques: les approches conventionnelles de psychothérapie visant à restructurer la pensée par l'utilisation de mots et d'images et l'acupuncture (la médecine énergétique chinoise). L'objectif est de modifier un comportement en déterminant la façon dont on souhaite agir face à une situation.

Cette technique repose sur le fait que les émotions négatives intenses ou les événements négatifs ou traumatiques mettent le corps en état d'alerte en activant le système de réponse au stress. La libération d'hormones de stress (l'adrénaline et le cortisol, entre autres) prépare le corps à fuir ou à faire face aux menaces perçues. Même lorsque la situation est de moindre importance (retard à un rendez-vous, surcharge de travail, environnement en désordre, bruit, etc.), les hormones déclenchent une réponse au stress. S'il n'est pas désamorcé régulièrement, le stress fatigue le corps et l'esprit.

Cette technique a pour but de faire cesser l'activation du système de stress par l'émotion négative et de reprogrammer l'esprit afin qu'il réagisse autrement. À l'accouchement, la réduction du stress aura plusieurs bénéfices, notamment celui de vous permettre de vous retrouver dans la bulle hormonale qui rend le travail aisé, efficace et sécuritaire.

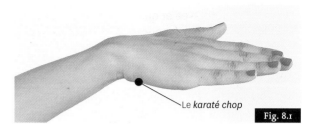

Le *karaté chop* Fig. 8.1

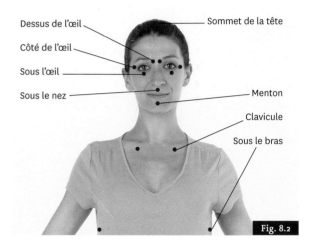

Dessus de l'œil — Sommet de la tête
Côté de l'œil —
Sous l'œil —
Sous le nez — — Menton
— Clavicule
— Sous le bras

Fig. 8.2

La technique comporte huit étapes très simples que vous pouvez mettre en pratique chaque fois que vous éprouvez un sentiment négatif intense ou que vous vous remémorez un souvenir douloureux. L'autotraitement ne demande que quelques minutes et peut être pratiqué à tout moment, son objectif étant de vous aider à retrouver votre zone zen[182].

1. Définissez la question d'importance que vous souhaitez aborder (la situation qui vous dérange) et écrivez une phrase de rappel, par exemple: « L'accouchement. J'ai très peur de vivre cet événement. »
2. Évaluez l'intensité de vos sentiments sur une échelle de 0 à 10, 0 étant le niveau le moins intense et 10, le plus intense.
3. Élaborez une affirmation initiale qui commence avec « Même si… », ajoutez l'émotion vécue (présente ou passée), la situation qui vous dérange (le contexte) et l'issue (le résultat) que

vous choisissez de vivre. Par exemple : « Même si je me sens stressée et que j'ai peur (*émotions*) à l'idée d'accoucher (*contexte*), je choisis de me faire confiance (*l'issue souhaitée*). »

4. Répétez trois fois l'affirmation initiale en tapotant avec tous les doigts de la main le point situé sur le côté de la main droite ou de la main gauche (*figure 8.1*). On nomme ce point le *karaté chop*.

5. Répétez la question d'importance en tapotant alternativement les huit autres points d'acupuncture, un côté à la fois ou les deux côtés simultanément (*figure 8.2*). Au fur et à mesure que vous progresserez, vous remplacerez la question d'importance par une description plus précise et détaillée du contexte et du sentiment que vous vivez. Si d'autres émotions font surface, décrivez-les. Continuez jusqu'à ce que les émotions intenses se dissipent. Par exemple : « L'accouchement. J'ai très peur de vivre cet événement. »

- **Dessus de l'œil :** « L'accouchement. J'ai très peur de vivre cet événement. »
- **Côté de l'œil :** « Accoucher est difficile et risqué. »
- **Sous l'œil :** « J'ai peur pour ma santé. »
- **Sous le nez :** « J'ai peur pour la santé de mon bébé que j'aime. »
- **Menton :** « Je ne me sens pas en sécurité. »
- **Clavicule :** « Je ne veux pas souffrir. »
- **Sous le bras :** « Je n'ai pas ce qu'il faut pour accoucher naturellement. »
- **Sommet de la tête :** « Avant, les femmes étaient plus fortes et robustes. »
- **Dessus de l'œil :** « Elles se laissaient guider par leur instinct. »
- **Côté de l'œil :** « Accoucher était simple, efficace, et sécuritaire. »
- **Sous l'œil :** « Les femmes ont toujours su accoucher. »
- **Sous le nez :** « Elles se fiaient à leur corps, car elles n'avaient pas le choix. »
- **Menton :** « Elles étaient obligées de se fier à leurs ressources intérieures. »
- **Clavicule :** « Elles se fiaient aux mémoires inscrites dans leur ADN. »
- **Sous le bras :** « Elles étaient tolérantes à la douleur. »
- **Sommet de la tête :** « Ces femmes savaient, mais pas moi. »

6. Migrez vers des affirmations positives en explorant lesquelles de vos idées négatives sont erronées (par exemple : « Je n'ai pas ce qu'il faut pour accoucher »), en cherchant vos besoins réels (par exemple : « J'ai besoin de me sentir en sécurité » ou encore « J'ai besoin de me sentir respectée ») et en identifiant les pistes de solutions qui pourraient vous conduire vers l'issue que vous avez choisie dans votre affirmation initiale. Au besoin, alternez entre des affirmations négatives et positives. Continuez les affirmations positives d'exploration en continuant à tapoter les points d'acupuncture.

- **Dessus de l'œil :** « Est-ce possible que ma génération ne sache plus comment faire ? »
- **Côté de l'œil :** « Est-ce possible que ces ressources pour vivre l'accouchement n'existent plus ? »
- **Sous l'œil :** « Qu'est-ce que je peux faire pour accoucher comme mes ancêtres ? »
- **Sous le nez :** « Comment puis-je transformer mes peurs en pouvoir ? »
- **Menton :** « J'ai ce qu'il faut pour donner naissance. »
- **Clavicule :** « J'ai les compétences pour accoucher. »
- **Sous le bras :** « Accoucher est naturel. »
- **Sommet de la tête :** « Mon bébé et moi faisons le travail ensemble. Nous saurons le faire. »

7. Expirez à fond et respirez profondément.

8. Évaluez l'intensité de vos sentiments sur l'échelle graduée de 0 à 10 et comparez vos résultats à votre score initial.

Pourquoi les affirmations négatives ? Quand on est habité par des peurs ou des pensées parasitaires, un dialogue prend place à l'intérieur de soi. Cette discussion, qu'elle ait lieu dans la tête ou à voix haute, est perçue par le corps comme un stress. La répétition de pensées négatives ancre davantage le problème. La stimulation des points énergétiques en même temps que la répétition d'affirmations positives permet de ventiler les émotions et de rediriger l'activité neuronale dans le cerveau.

Parfois, l'issue de la séance de tapotements sera de faire un geste concret (par exemple : affirmer son besoin) alors que d'autres situations exigeront un lâcher-prise (par exemple : faire confiance, être zen). La clé du succès réside dans la pratique régulière. Au besoin, n'hésitez pas à faire appel à un professionnel pour vous guider dans cette technique.

La prochaine fois que vous vivrez une émotion intense négative ou un stress, mettez en pratique les différentes étapes de la technique de la libération émotionnelle.

L'IMAGERIE MENTALE

Tout comme les deux autres techniques proposées dans ce chapitre, l'imagerie mentale a pour finalité de vous aider à repérer ce dont vous avez besoin pour vous sentir bien et créer votre zone zen. C'est une technique à laquelle tout le monde a recours, à tout moment de la vie. Cependant, elle n'est pas toujours utilisée de manière consciente, ni de manière positive.

Quand vous préparez vos bagages en vue d'un voyage, vous imaginez l'endroit où vous allez, la météo et les activités auxquelles vous vous adonnerez. Vous désirez inclure dans vos bagages les vêtements qui seront adaptés au séjour, choisir ce qui est utile et laisser derrière ce qui ne l'est pas. Ultimement, vous souhaitez apporter ce qu'il faut pour chaque activité, en fonction des conditions dans lesquelles vous serez une fois rendue sur place. Le fait de vous projeter ainsi dans votre imaginaire pour cerner vos besoins vestimentaires équivaut à pratiquer l'imagerie mentale.

L'imagerie mentale agit de deux façons différentes :
· Elle vous aide à diriger consciemment votre attention.
· Elle vous permet d'accéder à vos mondes intérieurs.

La première étape de la pratique de l'imagerie mentale consiste à choisir une situation ou un événement pour lequel vous souhaitez vous préparer (par exemple : l'accouchement). L'exercice peut porter sur une situation en général (par exemple : tout l'accouchement, du début à la fin) ou sur une partie très précise d'une situation (par exemple : le début du travail, le relâchement du périnée ou l'expulsion du bébé).

Quand vous pratiquez l'imagerie mentale, vous dirigez consciemment votre attention sur ce que vous souhaitez travailler. Pour garder votre attention sur l'objet de l'imagerie, vous visualisez les détails : l'aspect visuel du lieu (la pièce, les meubles, les gens qui vous entourent, la lumière), les sensations (la chaleur, le calme, le bien-être, la confiance, l'amour, la paix), les odeurs et les gestes faits par vous et les autres (qui fait quoi et comment).

Vous imaginez le scénario de manière positive. Vous évitez de focaliser sur un scénario négatif en le décrivant avec beaucoup de détails. Vous vous répétez plutôt : « Peu importe ce qui se présente à moi, je choisis de rester calme et confiante. Je sais faire face à tous les impondérables. »

La pratique développera votre capacité à prendre conscience de vos pensées et à les rediriger au besoin. De cette manière, si on vous annonce une mauvaise nouvelle, vous ne paniquerez pas en pensant à toutes les conséquences possibles et imaginables associées à cet événement. Vous vous concentrerez sur le moment présent, en fonction des données que vous avez. Vous dirigerez votre pensée sur ce que vous savez et sur des scénarios réalistes-optimistes, ce qui évitera la dramatisation, qui augmente encore plus le stress.

Par exemple, on vous apprend, à votre rendez-vous de la trente-sixième semaine, que votre bébé se présente par le siège. Ne laissez pas vos émotions et vos pensées irrationnelles prendre le dessus en imaginant toutes les étapes qui pourraient survenir entre le moment présent et l'accouchement. Portez plutôt votre attention sur ce que vous savez : le bébé est en siège. Reconnaissez les émotions que vous vivez, par exemple la peur et l'inquiétude. Utilisez la technique de libération émotionnelle pour ventiler les émotions et pour migrer vers un plan d'action. Restez focalisée sur ce que vous pouvez faire et sur la partie qui vous appartient, par exemple la pratique des postures pour faire tourner le bébé, la demande d'une consultation avec un acupuncteur ou un ostéopathe, etc. La pratique de l'imagerie mentale vous aidera à suivre le cours de vos pensées et à les focaliser.

EXERCICE PRATIQUE : VOTRE SCÉNARIO D'ACCOUCHEMENT

Pour vous aider à utiliser l'imagerie mentale, voici un scénario d'accouchement que vous pourrez modifier et personnaliser à votre guise. Les mots-clés sont **calme** et **confiance**.

1. Installez-vous confortablement dans une posture de relaxation.
2. Chantez à voix haute le son HU (prononcé HIOU)[183] pour développer votre capacité respiratoire et détendre les diaphragmes du périnée et de la respiration. Ce son peut également être chanté à voix basse ou mentalement.
3. En même temps que vous chantez, dirigez votre attention sur la zone située entre vos deux sourcils, à quelques centimètres à l'intérieur de votre boîte crânienne, sans forcer avec les yeux.
4. Imaginez un écran sur lequel vous visionnez le scénario ci-dessous.
5. À la fin de l'exercice, notez ce que vous avez vu et senti. Répétez cet exercice en portant votre attention sur tout le scénario ou certaines parties plus précises.

Mon partenaire et moi sommes à la maison, un dimanche, et tout est calme. Ma grossesse est à terme et nous nous sentons bien. Depuis deux jours, j'ai des contractions. Je les apprécie, car elles m'indiquent que mon corps sait comment faire. Je les accepte avec gratitude, je les laisse venir et partir. Je suis calme et confiante.

Je prends le temps de savourer ces derniers moments de ma grossesse. Avec mon partenaire, je pars faire une balade. Je me sens zen, vraiment dans ma zone. J'ai confiance que j'ai ce qu'il faut pour mettre mon enfant au monde. Je n'ai pas d'idée fixe sur comment cela doit se produire. J'ai seulement très confiance que je sais quoi faire, à tout moment. Je me sens en sécurité. Je suis protégée et calme.

Mon partenaire est excité. Il a tellement hâte de voir le bébé et de mettre en pratique ce qu'il sait. Il me questionne et me surveille. Je le rassure en lui disant que je saurai quoi faire le moment venu. Je l'invite à rester zen avec moi et à nous faire confiance.

Le temps passe et ne compte pas. Je reste à l'écoute de mes sensations et dans le moment présent. Les sensations s'intensifient et je les accueille. Je remercie mon corps et sa sagesse pour ce travail qui continue à faire son chemin, une contraction à la fois. Je suis calme et je sens l'amour pour ce bébé et pour mon partenaire. Chaque étreinte de mon utérus m'emmène plus près de mon bébé que j'ai tellement envie de tenir dans mes bras. Je respire son odeur, sa petitesse, sa délicatesse et sa douceur. Lui aussi a envie de naître. Ensemble, nous savons comment faire. Je sens mes hormones qui circulent en lui. Il est calme, confiant et en sécurité.

Les étreintes sur mon ventre sont plus insistantes et elles demandent de plus en plus de mon attention. Je cesse de parler, j'expire à fond, je relâche ma bouche et mes fesses et je laisse la sensation apparaître et disparaître. Les caresses de mon partenaire, le peau à peau et ses baisers profonds m'aident à me détendre. Je sens ces montées d'ocytocine et d'amour et l'intensification des contractions. Je suis reconnaissante et calme. Merci à mon corps qui sait faire.

Pour moi, il est maintenant clair que je suis en travail actif, car mes contractions s'intensifient, sont plus rapprochées et plus longues. Elles demandent vraiment toute mon attention. Cela me convient tout à fait, car je sais que ce sont ces étreintes fortes qui permettent à mon col de mûrir, de s'effacer et de se dilater. Mon partenaire est calme et appuie sur mes points réflexes pendant les contractions. Je sens une montée d'endorphines qui me berce et me permet de prendre une distance avec mes sensations intenses. Je suis bien et calme.

(Ajustez le scénario selon l'endroit où vous donnerez naissance. Si vous prévoyez accoucher à la maison avec la présence de sages-femmes, imaginez que vous leur téléphonez et qu'elles viennent vous rejoindre. Si vous prévoyez accoucher à la maison de naissance ou à la maternité, avisez les intervenants par téléphone de la progression du travail et de votre arrivée imminente. Installez-vous confortablement dans votre chambre, à l'endroit où vous continuerez à vivre le travail.)

Les étreintes de mon utérus continuent. Je bouge, je fais des sons, je respire et je suis calme. J'ai confiance en mon corps, en mon bébé, en mon partenaire et en tous ceux qui m'accompagnent dans ce voyage. J'accueille chacune des émotions qui se présentent. Je continue à m'hydrater et à manger, selon ce que je ressens. Je suis patiente, patiente et patiente encore. Tout le monde autour de moi est si dévoué et attentionné. Je les remercie intérieurement.

Je ne sais pas depuis combien de temps je suis là, ni à combien de centimètres je suis dilatée. Ces facteurs ne sont pas importants pour moi. Je reste dans le présent et je vis une étreinte à la fois. Je garde toute mon attention sur ma respiration et j'expire à fond en chantant le HU (prononcé HIOU). J'ai confiance. Je pense à mon bébé qui profite de mes endorphines. Lui aussi, il est accompagné et guidé. On s'attend… il s'en vient. Merci bébé!

Les sensations sont fortes. Ma foi, est-ce que je vais réussir à passer à travers? Qu'est-ce qui arrive si… Vais-je mourir? Tuez-moi! c'est trop, je déchire et je brise de l'intérieur! Quelque chose ne va pas? Ce n'est pas possible. Je me sens submergée, dépassée…

J'accueille mes sensations, mes imperfections, car c'est mon corps qui est le chef. Les hormones de stress agissent pour faciliter l'expulsion. Allez, courage! Je continue. D'autres femmes sont déjà passées par là, des milliers de générations avant moi ont su y faire. Je sais quoi faire. Je me laisse être. Je vis mes sensations.

Mon attitude change, je sens cette force, celle de la tigresse, de la louve, de la lionne, de toutes les femelles du monde entier. C'est cette force indomptable qui fait naître mon bébé, que je sens avec mes mains à ma vulve. Il est là, tout près. Il veut naître pour qu'on soit enfin ensemble. J'observe mon corps qui pousse l'enfant vers la lumière du jour. Je sens sa tête et son corps qui se faufilent. Il est là, enfin, tout entier et chaud sur mon corps, peau à peau. Nous nous regardons, les yeux dans les yeux, et je me sens devenir encore plus amoureuse de lui. Il est réveillé, alerte, et nous baignons tous les deux dans notre bulle hormonale d'endorphines, d'ocytocine et de prolactine. C'est le début de notre codépendance, qui nous fera du bien à tous les deux. Plus il me touche, me caresse et tète mes seins, plus je sens l'ocytocine qui monte en moi. C'est l'amour, inconditionnel et sans limites. Bienvenue, mon bébé!

Les contractions se poursuivent pour expulser le placenta du bébé, cet organe qui lui a permis de se développer. Merci à la vie, à la sagesse de mon corps, à mon bébé, à mon partenaire et à tous ceux qui m'accompagnent dans ce merveilleux voyage.

EN GUISE DE CONCLUSION

La grossesse et l'accouchement constituent une étape qui prépare votre engagement à long terme envers votre enfant. Quoi qu'il arrive au cours de cette étape, faites preuve de confiance et de calme : ces deux attitudes vous permettront de garder votre sang-froid et de vous adapter aux impondérables de la naissance.

Au cours de cette étape, votre couple vivra une transition, car la naissance de la famille impose des changements et une adaptation. Soignez votre relation de couple : elle est la base de votre famille. Prenez l'habitude de vous consacrer du temps. Par exemple, passez les vendredis soirs sans les enfants et prenez quelques jours de congé à l'occasion pour refaire le plein et raviver l'amour entre vous deux. Donnez-vous toutes les chances de vivre pleinement l'expérience d'être parents.

Après la naissance de votre enfant, vous éprouverez peut-être de la difficulté à vous adapter aux nombreux changements qu'exige la vie familiale. N'hésitez pas à demander de l'aide. Vous ne serez pas les premiers à vous sentir parfois dépassés et isolés. Faites appel aux membres de votre famille, de votre entourage et de votre communauté. Ces personnes pourront vous aider tout au long de la transition.

Grâce aux techniques qui vous sont enseignées dans ce livre, vous aurez sans doute découvert comment il est possible de mieux vous comprendre et de vous aider l'un l'autre. Vous aurez une préférence pour certaines techniques (respirations, exercices, massages, relaxation et imagerie mentale). Peu importe celles que vous choisirez, l'important est que vous puissiez travailler ensemble pour trouver un réconfort dans les moments difficiles. N'oubliez pas que les compétences que vous avez acquises tout au long de la grossesse et de l'accouchement font maintenant partie de vous et qu'elles vous suivront dans toutes les prochaines étapes de votre vie.

Je vous souhaite de vivre de merveilleux moments avec votre enfant !

CONTENU DES VALISES ET TROUSSEAU DU BÉBÉ

Valise de la mère

Préparez votre valise au moins 4 semaines avant la date prévue de l'accouchement.

- Brosse à dents et dentifrice
- Peigne et brosse à cheveux
- Désodorisant
- Savon
- Compresses pour les seins
- Serviettes hygiéniques
- Culottes (2)
- Soutiens-gorge (2)
- Robes de nuit légères, ouvertes pour allaiter
- Peignoir
- Chaussettes (2 paires)
- Pantoufles
- Crayon ou stylo
- Tenue de sortie du centre hospitalier (taille environ quatrième mois de grossesse)
- Carte d'assurance-maladie
- Carte d'hôpital
- Documents d'assurance-hospitalisation
- Numéro d'assurance sociale

Valise du bébé

- Camisole
- Pyjama
- Bonnet
- Gilet
- Si c'est l'hiver, prévoir un ensemble de laine et un ensemble d'hiver
- Petite couverture à emmailloter
- Couverture plus grande pour le protéger du vent, même en été
- Siège d'auto pour bébé

Valise du partenaire

Le travail pourrait durer plus de 24 heures. Prévoyez tout ce qu'il faut pour votre confort et celui de la mère, ainsi que de quoi manger.

- Chaussettes (2 paires)
- Gilets légers à manches courtes (2)
- Sous-vêtements de rechange
- Huile essentielle de lavande, de jasmin ou de sauge (l'odeur doit plaire à la mère)
- Huile ou crème à massage
- Tapis de sol
- Objets de bois pour masser
- Sac pour la glace
- Sac pour l'eau chaude
- Coussin magique pour chauffer
- Rebozo (un grand drap ou un foulard)
- Marqueur pour identifier les zones d'acupuncture
- Ballon
- Fausses chandelles pour créer un éclairage tamisé
- Aliments faciles à digérer : des légumes-racines cuits (carottes, betteraves, panais, navets), des rôties, des fruits, des noix, du miel, du bouillon, des tisanes (infusion à la camomille ou au fenouil pour les nausées), de l'eau de coco, des boissons énergisantes riches en électrolytes. Prévoir des repas chauds qui ne dégagent pas d'odeur forte pouvant causer des nausées
- Gomme à mâcher et rince-bouche pour donner bonne haleine

Trousseau du bébé

VÊTEMENTS

- Camisoles de coton à manches courtes (6)
- Pyjamas (taille 0 à 3 mois) (1 ou 2)
- Pyjamas (taille 3 à 6 mois) (4 à 6)
- Couches de coton (2 ou 3 douzaines)
- Sacs de couches jetables (2 ou 3)
- Petites couvertures de flanelle (6)
- Bavoir
- Draps-housses (3)
- Gilet
- Bonnet
- Chaussons (taille 6 mois) (2 ou 3 paires)
- Couverture chaude, en laine de préférence
- Sac à couches
- Lait maternisé si le bébé n'est pas allaité

NÉCESSAIRE DE TOILETTE

- Baignoire (facultatif)
- Petites serviettes de toilette (4)
- Cotons-tiges
- Tampons d'ouate
- Alcool
- Thermomètre rectal
- Petits ciseaux à bouts ronds
- Savon doux
- Huile non parfumée

MOBILIER

- Couchette sécuritaire avec matelas ferme
- Table à langer (facultatif)

RECETTES

Bouillon fortifiant pour la maman et le bébé
Ce bouillon est excellent pour calmer et soulager le système nerveux[184]. Utilisez de préférence des aliments biologiques.

2 tasses de patate douce, coupée en dés
1 tasse de poireau, coupé en tronçons
1 tasse de bette à carde (de la famille de la betterave), tranchée en lanières
1 tasse de haricots verts, coupés en tronçons
2 tasses de céleri, coupé en tronçons
1 tasse de carotte avec les feuilles, coupée en tronçons
1 tasse de chou frisé, coupé en tranches
1 oignon jaune avec la peau, coupé en tranches
6 branches de persil, haché grossièrement
2 ou 3 gousses d'ail entières
¼ tasse d'algues (kombu, dulse, nori ou wakame)
5 cm de gingembre frais, coupé en lanières

Lavez et coupez les légumes. Gardez la peau quand le produit est biologique et bien lavé. Placez tous les ingrédients dans un grand chaudron et couvrir d'eau. Faites mijoter doucement de 3 à 5 heures. Filtrez et ajoutez de la fleur de sel, du sel de mer ou du cari.

Infusion aux feuilles de framboisier
Les feuilles de framboisier (sauvage ou cultivé) s'utilisent en infusion pour soulager la diarrhée et les nausées. L'infusion tonifie l'utérus et les muscles du système digestif tout en empêchant les spasmes. On l'utilise lors des menstruations douloureuses et abondantes ou pour faciliter les accouchements[185].

1. Infusez environ 50 feuilles fraîches de framboisier ou 4 cuillères à thé de feuilles séchées dans un litre d'eau bouillante. Laissez reposer 10 minutes. Buvez de petites gorgées pour étancher la soif.
2. Préparez des glaçons à sucer lors du travail avec une infusion de fleurs d'hibiscus ou de feuilles de framboisier.

Boisson énergétique au citron
Cette boisson est riche en vitamines et en minéraux. Elle soulage les nausées et donne de l'énergie.

4 tasses d'eau ou d'eau de coco
⅓ de tasse de miel **non pasteurisé** (sous cette forme, il conserve le maximum de ses enzymes et de ses vitamines)
¼ à ½ cuillère à café de sel de mer ou de fleur de sel (évitez le sel de table commercial qui contient un antiagglomérant et un stabilisant)
1 cuillère à soupe de graines de chia (riches en protéines, en fibres, en magnésium et en calcium)
Le jus de 2 ou 3 citrons frais

Dans un contenant fermé d'une capacité d'un litre, versez ½ tasse d'eau tiède à laquelle vous ajoutez le miel, le sel et les graines de chia. Mélangez pour faire dissoudre et ajoutez l'eau et le jus de citron. Il est normal que les graines de chia soient glutineuses après avoir trempé dans l'eau.

LES DROITS DE LA FEMME ENCEINTE

Quelles que soient les personnes consultées, vous pouvez exiger des informations claires et complètes.

Vous avez le **droit** de consulter la totalité de votre dossier EN TOUT TEMPS.

DROITS DES FEMMES

Grossesse et accouchement

Depuis que le monde est monde, la grossesse, l'accouchement et la naissance d'un enfant constituent des événements normaux et naturels. Il s'agit cependant d'une période de votre vie où vous aurez à prendre plusieurs décisions quant aux traitements et aux soins que vous recevrez. Ces décisions vous reviennent de plein droit. Les événements liés à la naissance méritent de se vivre harmonieusement et vous avez le droit d'obtenir le soutien approprié (information, accompagnement, soins, etc.) pour vous aider à faire des choix éclairés.

Pendant votre grossesse vous avez le droit...

· d'être informée de façon, satisfaisante sur le déroulement de votre grossesse, sur le travail, l'accouchement et l'allaitement;
· de choisir le ou la professionnelLE qui vous suivra durant votre grossesse, que ce soit un médecin ou une sage-femme, et d'avoir la possibilité de changer de professionnelLE, peu importe le moment de votre grossesse;
· d'être informée sur les différents lieux de naissance (hôpital, maison de naissance, domicile), sur ce qui les caractérise (routines, règlements, taux et type d'interventions) et de les visiter;

· d'être informée des limites et des effets indésirables des médicaments et interventions suggérés;
· de refuser les médicaments et les traitements qui vous sont proposés;
· d'obtenir de votre professionnelLE des informations sur les alternatives aux médicaments et aux interventions proposés;
· d'être informée sur la possibilité pour vous d'avoir un accouchement vaginal même si vous avez déjà eu une césarienne (AVAC);
· de demander, au besoin, l'avis d'unE deuxième professionnelLE concernant une question qui vous préoccupe.

Pendant le travail et l'accouchement, vous avez le droit...

· de vivre le travail et la naissance de votre bébé à votre rythme et sans intervention que vous ne souhaitez pas;
· d'être accompagnée par les personnes de votre choix pendant toute la durée du travail et de l'accouchement;
· de refuser d'être examinée par des étudiantEs;
· d'être informée des motifs et des effets, pour vous et votre bébé, de toutes les interventions (déclenchement, stimulation, forceps, épisiotomie, péridurale, calmant, monitorage continu, sérum, etc.) et de refuser celles que vous ne jugez pas pertinentes;
· de boire et de manger en tout temps;
· de pousser et d'accoucher dans la position qui vous convient le mieux;
· de limiter le nombre de personnes lors de la naissance de votre enfant (proches et intervenantEs).

Si on vous dit que vous devez avoir une césarienne, vous avez le droit…

· de connaître les raisons médicales nécessitant une telle intervention et les alternatives possibles ;
· d'être informée sur les différents types d'anesthésie disponibles et de choisir celui qui vous convient ;
· d'être accompagnée de votre conjoint ou d'une personne significative, et ce, en tout temps.

Après la naissance de votre enfant, vous avez le droit…

· d'avoir un contact peau à peau avec votre bébé, et ce, dès sa naissance, et de le garder dans vos bras le temps qu'il vous convient ;
· de cohabiter avec votre enfant en tout temps, quel que soit le nombre d'occupants de la chambre ;
· de connaître les raisons des examens et des interventions proposés pour votre enfant, de les refuser ou de les retarder (gouttes dans les yeux, injection de vitamine K, tests sanguins, etc.) ;
· de demander que des arrangements soient pris afin que la personne significative de votre choix puisse demeurer avec vous le jour comme la nuit ;
· d'allaiter votre bébé à la demande et d'exiger qu'aucun supplément (eau, lait artificiel) ne lui soit donné ;
· d'avoir à votre disposition une ressource adéquate pour vous aider à allaiter ;
· d'exiger de ne pas être dérangée, selon vos besoins de repos ou d'intimité, par les routines de l'établissement ;
· de refuser les médicaments proposés si vous ne les jugez pas nécessaires ;
· de quitter l'établissement de santé dès que vous le souhaitez, et ce, même si votre congé n'a pas été signé par unE professionnelLE ;
· Si votre bébé doit être hospitalisé, de bénéficier de toute mesure facilitant votre présence constante auprès de lui (conditions minimales pendant votre séjour et poursuite de l'allaitement).

Pour en savoir davantage

Association pour la santé publique du Québec
514-528-5811 · www.aspq.org

Réseau communautaire

Le Collectif « Les Accompagnantes » de Québec
418-688-6039 · www.accompagnantes.qc.ca

Regroupement Naissance-Renaissance
514-392-0308 · www.naissance-renaissance.qc.ca

Fédération du Québec pour le planning des naissances
514-866-3721 · www.fqpn.qc.ca

Regroupement des groupes de femmes de la région de Québec (03) Portneuf-Québec-Charlevoix
418-522-8854 · www.rgf-03.qc.ca

Sages-femmes

Regroupement Les sages-femmes du Québec
514-738-8090 · www.rsfq.qc.ca

Ordre des sages-femmes du Québec
514-286-1313 · www.osfq.org

Médecins

Association des omnipraticiens en périnatalité
www.aopq.org

Collège des médecins du Québec
514-933-4441 · 1-888-MEDECIN · www.cmq.org

Centre de santé et services sociaux à Québec

Info-Santé CLSC
418-648-2626 · www.msss.gouv.qc.ca

Accouchement physiologique: Accouchement qui respecte les fonctions propres à l'organisme.

Acupression: Thérapeutique d'origine chinoise consistant en l'application d'une pression ferme sur des points cutanés précis.

Acupuncture: Thérapeutique d'origine chinoise consistant en l'introduction superficielle d'aiguilles très fines en des points cutanés précis.

Analgésie: Terme général qui désigne la disparition de la perception douloureuse, peu importe la technique employée.

Anesthésie péridurale lombaire: Méthode d'anesthésie locale, employée au cours du travail ou d'une césarienne, qui vise à réduire les sensations douloureuses liées à la naissance.

Autogène (relaxation): Qui est engendrée par soi-même.

Césarienne: Intervention chirurgicale qui consiste à inciser l'utérus de la femme enceinte pour en extraire le fœtus et le placenta.

Chambre de naissance: Chambre où le travail et l'accouchement peuvent se dérouler.

Col de l'utérus: Partie inférieure de l'utérus qui s'ouvre dans le vagin.

Composantes de la douleur:
- **Cognitivo-comportementale:** Manière dont la personne exprime son vécu avec la douleur.
- **Motivo-affective** (psychologique): Permet de juger de l'aspect désagréable (déplaisant) de la douleur.
- **Nociceptive:** Lésion réelle ou potentielle.
- **Sensori-discriminative** (physique): Permet de ressentir l'intensité et le seuil de la douleur.

Contraction: Resserrement et raccourcissement des muscles de l'utérus au cours du travail, lesquels contribuent à la descente du fœtus.

Diastase des grands droits: Écart entre les muscles grands droits qui entraîne une ouverture de la paroi abdominale. Chez la femme, il apparaît parfois après plusieurs accouchements ou après une grossesse multiple (jumeaux).

Douleur: Expérience sensorielle et émotionnelle désagréable résultant d'une lésion réelle ou potentielle. La douleur est une expérience subjective associée à notre perception de l'événement et influencée par nos expériences passées.

Effacement du col: Amincissement et raccourcissement du col de l'utérus se produisant à la fin de la grossesse et au cours du travail.

Endorphine: Substance présente dans diverses structures du système nerveux central et douée d'une action sédative et analgésique puissante.

Épidurale: *Voir* Anesthésie péridurale lombaire.

Épisiotomie: Section chirurgicale du périnée destinée à agrandir l'orifice vulvaire et à faciliter la sortie du bébé.

Hormones en travail:
- **Catécholamine:** Hormone de l'excitation et du stress composée de l'adrénaline et de la noradrénaline.
- **Endorphine:** Hormone de plaisir, de la dépendance, de la transcendance et de la réduction de la douleur.
- **Ocytocine:** Hormone de l'amour, de l'attachement et du bien-être.
- **Prolactine:** Hormone de la production du lait maternel et du maternage.

Hypertension: Élévation de la tension artérielle au repos.

Hyperventilation: Respiration anormalement profonde ou rapide habituellement causée par l'anxiété. L'hyperventilation provoque un taux anormal de gaz carbonique dans le sang.

Imagerie mentale: Activité de production d'images mentales.

Méridien: Trajet de circulation de l'énergie dans le corps employé en acupuncture et en acupression. Les méridiens forment un réseau qui relie les différents éléments internes et externes du corps et régularise le fonctionnement de l'organisme entier.

Modulation de la douleur: Variation ou changement de la douleur grâce à différents procédés physiques, psychologiques ou pharmacologiques.

Moniteur fœtal: Enregistrement de l'électrocardiogramme et de la fréquence cardiaque du fœtus par un moniteur électronique permettant la détection de troubles et leur possible correction.

Occipito-antérieure: Position du bébé dans le ventre de la mère: le sommet de la tête du bébé est dirigé vers le bas et son dos est allongé contre le devant du ventre de la mère.

Occipito-postérieure: Position du bébé dans le ventre de la mère: le sommet de la tête du bébé est dirigé vers le bas et son dos est allongé contre le dos de la mère.

Péridurale: *Voir* Anesthésie péridurale lombaire.

Périnée: Triangle de tissus fibromusculaires situé entre le vagin et l'anus chez la femme, entre le scrotum et l'anus chez l'homme.

Perte du bouchon muqueux: Signe précurseur du travail. La perte du bouchon muqueux s'accompagne de l'écoulement d'une petite quantité de sang provenant des capillaires exposés du col de l'utérus.

Pharmacologique (intervention): Intervention nécessitant l'utilisation de médicaments.

Placenta: Organe joignant le fœtus à la paroi utérine et permettant les échanges de gaz carbonique et de matières nutritives.

Plancher pelvien: Ensemble de muscles qui couvrent le plancher du petit bassin.

Présentation par le siège: Présentation du bébé par les fesses ou les pieds plutôt que par la tête au moment de l'accouchement.

Relaxine: Hormone sécrétée par le corps jaune qui assouplit l'os pubien.

Sédatif: Produit pharmacologique ou non qui maintient la personne éveillée, mais relativement plus calme.

Travail: Processus permettant l'expulsion du bébé de l'utérus.

Utérus: Organe creux et musculaire dans lequel s'implante l'ovule fécondé et où le fœtus en voie de développement est nourri jusqu'à l'accouchement.

Vagin: Tube musculo-membraneux qui relie les organes génitaux externes à l'utérus.

Visualisation: Perception d'une image créée par la volonté comme sensation visuelle objective.

Vulve: Ensemble des organes génitaux externes de la femme.

Zone réflexe: Zone cutanée dont la stimulation, même légère, déclenche des douleurs locales et avoisinantes.

REMERCIEMENTS

De tout cœur, je remercie Liette Mercier, des Éditions de l'Homme, qui a su, par ses conseils judicieux, rendre cet ouvrage plus précis et juste.

Merci à mes collègues de recherche pour ces heures de réflexion et de discussion : Dr Guy-Paul Gagné, Nils Chaillet, Ph. D., Serge Marchand, Ph. D., Dr Christine Gagnon, Emmanuelle Hébert, Raymonde Gagnon, Malika Morisset Bonapace, Dr Kathy Bonapace, Lawrence Thériault, Sylvaine Suire, Verena Schmid, Dr Sarah Buckley, Louise Lettstrom-Hannant, Lise Bélanger et Isabelle Lavoie.

Merci à mes professeurs, Pierre Leblond, Donna Fornelli, Suzanne Dupuis-Dubois, Michel Guay, Jean Lévesque, Marie-Josée Colibeau, Dolorès Cayouette et Michelle Bouchard.

Finalement, un gros merci à mes collaborateurs, Christine Gervais, Joanne Steben, Yves Morisset, Jacques Charest, Pierrette Lapointe, Gérald Hétu, Jean Desbiens, les stagiaires que je forme à travers le monde, les formateurs et, surtout, les parents qui me permettent de les accompagner dans la préparation à la naissance de leur famille. Je vous exprime toute ma gratitude et ma reconnaissance.

NOTES ET RÉFÉRENCES

Notes de l'avant-propos

1. Wente, A.S., et S.B. Crockenberg, «Transition to fatherhood: Lamaze preparation, adjustment difficulty and the husband-wife relationship», *Family Coordinator,* octobre 1976, p. 315-357.
2. Weaver, R.H., et M.S. Cranley, «An exploration of paternal-fetal attachment behavior», *Nursing Research,* vol. 32, n° 2, 1983, p. 68-72.
3. Markman, H. J., et F. S. Kadushin, «Preventive effects of Lamaze training for first-time parents: A short-term longitudinal study», *Journal of Consulting and Clinical Psychology,* vol. 54, n° 6, 1986, p. 872-874.

Notes du chapitre 1

4. Les postures sont tirées des ouvrages suivants: Iyengar, G.S., *Yoga: Joyau de la femme,* Éditions Buchet/Chastel, Paris, 1990, p. 265 et suivantes; Iyengar, G.S., Keller, R., et K. Khattab, *Yoga for Motherhood: Safe Practice for Expectant & New Mothers,* Sterling Publishing Co., New York, 2010, 443 pages.
5. Il existe de nombreux centres de Yoga Iyengar partout dans le monde, chaque formateur faisant appel à la méthodologie développée par M. Iyengar. S'il vous est impossible de trouver un centre Iyengar, le yoga prénatal est une autre excellente option pour vous motiver et vous guider dans votre pratique.
6. Chuntharapat, S., Petpichetchian, W., et U. Hatthakit, «Yoga during pregnancy: Effects on maternal comfort, labor pain and birth outcomes», *Complementary Therapies in Clinical Practice,* vol. 14, n° 2, 2008, p. 105-115.
7. Shamanthakamani, N., Raghuram, N., Vivek, N., Sulochana, G., et N. Hongasandra Rama, «Efficacy of Yoga on Pregnancy Outcome», *The Journal of Alternative and Complementary Medicine,* vol. 11, n° 2, 2005, p. 237-244.
8. Cité dans Svenson, D., *Ashtanga Yoga: The practice manual,* Ashtanga Yoga Productions, Austin, Texas, 2008, p. 249.
9. Dumoulin, C., *Avant et après bébé: Exercices et conseils,* Montréal, Éditions du CHU Sainte-Justine, 2011, p. 92.
10. Rudnicki, M., Frölich, A., Rasmussen, W.F., et P. McNair, «The effect of magnesium on maternal blood pressure in pregnancy-induced hypertension: A randomized double-blind placebo-controlled trial», *Acta Obstetricia et Gynecologica Scandinavica,* vol. 70, n° 6, 1991, p. 445-450.
11. Dahle, L.O., Berg, G., Hammar, M., Hurtig, M., et L. Larsson, «The effect of oral magnesium substitution on pregnancy-induced leg cramps», *American Journal of Obstetrics and Gynecology,* juillet 1995, vol. 173, n° 1, p. 175-80.
12. Makrides, M., et C.A. Crowther, «Magnesium supplementation in pregnancy», *Cochrane Database Systematic Review 4,* 2001.
13. Chenard, J.-R., Charest, J., et B. Lavignolle, *Lombalgie: Dix étapes sur les chemins de la guérison,* École interactionnelle du dos, Masson, Paris, 1991, 375 pages.
14. Miller, J.M., Ashton-Miller, J.A., et J.O.L. DeLancey, «A pelvic muscle precontraction can reduce cough-related urine loss in selected women with mild SUI», *Journal of the American Geriatric Society,* n° 46, 1998, p. 870-874.
15. Carrière, B., *The pelvic floor,* Stuttgart, Georg Thieme Verlag, 2006.
16. Cet exercice a été développé par la sage-femme française Sylvaine Suire.
17. Beckmann, M.M., et O.M. Stock, «Antenatal perineal massage for reducing perineal trauma», *Cochrane Database of Systematic Reviews 4,* 2013, Art. No: CD005123. DOI: 10.1002/14651858.CD005123.pub3.
18. La méta-analyse de Beckmann citée précédemment a démontré une réduction des lésions au périnée même lorsque le massage est fait à raison de deux fois par semaine à partir de la trente-cinquième semaine.
19. Stremler, R., Hodnett, E., Petryshen, P., Stevens, B., Weston, J., et A.R. Willan, «Randomized Controlled Trial of Hands-and-Knees Positioning for Occipitoposterior Position in Labor», *Birth,* n° 32, 2005, p. 243-251.
20. Kenfack, B., Ateudjieu, B., Fouelifack Ymele, F., Tebeu, P.M., Dohbit, J.S., et R.E. Mbu, «Does the Advice to Assume the Knee-Chest Position at the 36th to 37th Weeks of Gestation Reduce the Incidence of Breech Presentation at Delivery?», *Clinics in Mother and Child Health,* n° 9, 2012, 5 pages.
21. Chenia, F., et C.A. Crowther, «Does advice to assume the knee-chest position reduce the incidence of breech presentation at delivery: A randomized clinical trial», *Birth,* n° 14, 1987, p. 75-78.

Notes du chapitre 2

22. Price, D.D., Harkins, S.W., et C. Baker, «Sensory-affective relationships among different types of clinical and experimental pain», *Pain,* n° 28, 1987, p. 297-307.
23. Lindblom, U., Merskey, H., Mumford, J.-M., Nathan, P.W., Noordenbos, W., et S. Sunderland, «Pain terms: A current list with definitions and notes on usage», dans H. Merskey, *Classification of chronic pain: description of chronic pain syndromes and definitions of pain terms,* Amsterdam, Elsevier, 1986, p. s215-s221.

24. Odent, M., «The fetus ejection reflex», *Birth*, n° 14, 1987, p. 104-105.

25. Verera Scmid, dans son livre *Birth Pain: Explaining Sensations, Exploring Possibilities* (2e éd., 2011) présente un regard lucide sur le rôle de la douleur à l'accouchement.

26. Bonica, J., «Labour pain», dans P.D. Wall et R. Melzack, *Textbook of pain*, New York, Churchill Livingstone, 1994, p. 615-641.

27. Nettelbladt, P., Fagerström, C.F., et N. Uddenberg, «The significance of reported childbirth pain», *Journal of Psychosomatic Research*, n° 20, 1976, p. 215-221.

28. Norr, K.L., Block, C.R., Charles, A., Meyering, S., et E. Meyer, «Explaining pain and enjoyment in childbirth», *Journal of Health and Social Behavior*, n° 18, 1977, p. 260-275.

29. Lowe, N. K., «Explaining the pain of active labor: The importance of maternal confidence», *Research in Nursing & Health,* n° 12, 1989, p. 237-245.

30. Lowe, N.K., «The nature of labor pain», *American Journal Obstetrics and Gynecology,* n° 186, 2002, p. 16-24.

31. La *doula,* ou accompagnante à la naissance, est une personne formée spécialement pour soutenir les femmes et leur partenaire lors du travail et de l'accouchement. Elle aide les parents à recourir aux mesures de confort non pharmacologiques et peut les soutenir avant, pendant et après la naissance.

32. Hodnett, E.D., Gates, S., Hofmeyr, G.J., Sakala, C., et J. Weston, «Continuous support for women during childbirth», *Cochrane Database of Systematic Reviews 2*, 2011.

33. Hodnett, E.D., «Pain and women's satisfaction with the experience of childbirth: A systematic review», *American Journal of Obstetrics & Gynecology,* vol. 186, n° 5, Suppl. Nature, 2002, p. 160-172.

34. Leap, N., Dodwell, M., et M. Newburn, «Working with pain in labour: An overview of evidence», *New Digest*, n° 49, 2010, p. 22-26.

35. Brownridge, P., «The nature and consequences of childbirth pain», *European Journal of Obstetrics & Gynecology and Reproductive Biology*, n° 59, Suppl., 1995, p. S9-S15.

36. Alehagen, S., Wijma, B., Lundberg, U., et K. Wijma, «Fear, pain and stress hormones during childbirth», *Journal of Psychosomatic Obstetrics & Gynecology*, n° 26, 2005, p. 153-165.

37. Mahomed, K., Gulmezoglu, A.M., Nikodem, V.C., Wolman, W.L., Chalmers, B.E., et G.J. Hofmeyr, «Labor experience, maternal mood and cortisol and catecholamine levels in low-risk primiparous women», *Journal of Psychosomatic Obstetrics & Gynecology*, vol. 16, n° 4, 1995, p. 181-186.

38. Lowe, Nancy K., «The nature of labor pain», *American Journal of Obstetrics and Gynecology*, vol. 186, n° 5, 2002, p. 16-24.

39. Marchand, S., *Le phénomène de la douleur*, 2e éd., Montréal, Chenelière Éducation, 2009, p. 378.

40. Price, D.D., Barrell, J.-J., et R.H. Gracely, «A psychophysical analysis of experimental factors that selectively influence the effective dimension of pain», *Pain*, n° 8, 1980, p. 137-149.

41. Price, D.D., Harkins, S.W., et C. Baker, «Sensory-affective relationships among different types of clinical and experimental pain», *Pain*, n° 28, 1987, p. 297-307.

42. Les échelles visuelles analogiques graduées de 0 à 100 qui mesurent l'intensité et l'aspect désagréable permettent de mieux comprendre l'expérience de la douleur. À l'accouchement, il est préférable de ne pas faire évaluer la douleur, mais à l'occasion, cette évaluation peut servir à rassurer les personnes qui soutiennent la femme en travail.

43. Marchand, S., *Le phénomène de la douleur*, 2e éd., Montréal, Chenelière Éducation, 2009, p. 378.

44. Jones, L., Othman, M., Dowswell, T., Alfirevic, Z., Gates, S., Newburn, M., Jordan, S., Lavender, T., et J.P., Neilson, «Pain management for women in labour: An overview of systematic reviews», *Cochrane Database of Systematic Reviews 3*, 2012.

45. Melzack, R., et P. D. Wall, «Pain mechanisms: A new theory», *Science*, n° 150, 1965, p. 971-979.

46. Ohlsson, G., Buchhave, P., Leandersson, U., Nordstrom, L., Rydhstrom, H., et I. Sjolin, «Warm tub bathing during labor: Maternal and neonatal effects», *Acta Obstetricia et Gynecologica Scandinavica*, n° 80, 2001, p. 311-314.

47. Garland, D., *Revisiting Waterbirth: An Attitude to Care*, 3e éd., Basingstoke, Palgrave Macmillan, 2011, 217 pages.

48. Cluett, E.R., et E. Burns, «Immersion in water in labour and birth», *Cochrane Database of Systematic Reviews 2*, 2009.

49. Roberts, J., «Maternal position during the first stage of labour», dans Chalmers, I., Enkin, M., et M.J.N.C. Keirse, *Effective care in pregnancy and childbirth*, Oxford University Press, 1989, p. 883-892.

50. Roberts, J. E., Mendez-Bauer, C., et D.A. Wodell, «The effects of maternal position on uterine contractility and efficiency», *Birth,* vol. 10, n° 4, 1983, p. 243-249.

51. Lawrence, A., Lewis, L., Hofmeyr, G.J., Dowswell, T., et C. Styles, «Maternal positions and mobility during first stage labour», *Cochrane Database of Systematic Reviews 2*, 2009.

52. Gupta, J.K., Hofmeyr, G.J., et M. Shehmar, «Position in the second stage of labour for women without epidural anaesthesia», *Cochrane Database of Systematic Reviews 5*, 2012.

53. Kane, K., et A. Taub, «A history of local electrical analgesia», *Pain,* n° 1, 1975, p. 125-138.

54. Tyler, E., Caldwell, C., et J. N. Ghia, «Transcutaneous electrical nerve stimulation: An alternative approach to the management of postoperative pain», *Anesthesia and analgesia*, vol. 61, n° 5, 1982, p. 449-456.

55. Le Bars, D., Dickenson, A. H., et J.-M. Besson, «Diffuse Noxious Inhibitory Controls (DNIC) I: Effects on dorsal horn convergent neurones in the rat», *Pain*, n° 6, 1979a, p. 283-304.

56. Le Bars, D., Dickenson, A. H., et J.-M. Besson, «Diffuse Noxious Inhibitory Controls (DNIC) II: Lack of effect on non-convergent neurones, supraspinal involvement and theoretical implications», *Pain*, n° 6, 1979b, p. 305-327.

57. Smith, C.A., Collins, C.T., Crowther, C.A., et K.M. Levett, «Acupuncture or acupressure for pain management in labour», *Cochrane Database of Systematic Reviews 7*, 2011.

58. Smith, C.A., Levett, K.M., Collins, C.T., et L. Jones, «Massage, reflexology and other manual methods for pain management in labour», *Cochrane Database of Systematic Reviews 2*, 2012.

59. Smith, C.A., Collins, C.T., Crowther, C.A., et K.M., Levett, «Acupuncture or acupressure for pain management in labour», *Cochrane Database of Systematic Reviews* 7, 2011.

60. Mårtensson, L., et G., Wallin, «Sterile water injections as treatment for low back pain during labour: A review», *Australian and New Zealand journal of obstetrics and gynaecology,* vol. 48, n° 4, 2008, p. 369-374.

61. Hodnett, E.D., Gates, S., Hofmeyr, G.J., Sakala, C., et J. Weston, «Continuous support for women during childbirth», *Cochrane Database of Systematic Reviews* 2, 2011.

62. Chuntharapat, S., Petpichetchian, W. et U. Hatthakit, «Yoga during pregnancy: Effects on maternal comfort, labor pain and birth outcomes», *Complementary Therapies in Clinical Practice,* vol. 14, n° 2, 2008, p. 105-115.

63. Shamanthakamani, N., Raghuram, N., Vivek, N., Sulochana, G. et N. Hongasandra Rama, «Efficacy of Yoga on Pregnancy Outcome», *The Journal of Alternative and Complementary Medicine,* vol. 11, n° 2, 2005, p. 237-244.

64. Smith, C.A., Levett, K.M., Collins, C.T. et C.A. Crowther, «Relaxation techniques for pain management in labour», *Cochrane Database of Systematic Reviews* 12, 2011.

65. Marchand, S. et P. Arsenault, «Odors modulate pain perception: A gender-specific effect», *Physiology & behavior,* vol. 76, n° 2, 2002, p. 251-256.

66. Chaillet, N. Belaid, L. Crochetière, C., Roy, L., Gagné, G-P., Moutquin, J-M., Rossignol, M., Dugas, M., Wassef, M., et J. Bonapace, «A Meta-Analysis of Non-Pharmacologic Approaches for Pain Management during Labor: Toward a Paradigm Shift?», 2013 (soumis pour publication).

67. Bonapace, J., Chaillet, N., Gaumond, I., Paul-Savoie, E., et S. Marchand, «Evaluation of the Bonapace Method: A specific educational intervention to reduce pain during childbirth», *Journal of Pain Research,* 2013, 6, p. 653-661.

Notes du chapitre 3

68. Brabant, I., *Une naissance heureuse: Bien vivre sa grossesse et son accouchement,* 4e éd., Anjou Fides, 2013, 576 pages.

69. Buckley, S.J., «Undisturbed Birth: Mother Nature's hormonal blueprint for safety, ease and ecstasy», dans *Gentle Birth, Gentle Mothering: A Doctors Guide to Natural Childbirth and Gentle Early Parenting Choices,* Celestial Arts, 2009, 348 pages.

70. Odent, M., *The function of the orgasms: The highways to transcendence,* London, Pinter and Martin Ltd, 2009, 213 pages.

71. Buckley, S.J., *Gentle Birth, Gentle Mothering: A Doctors Guide to Natural Childbirth and Gentle Early Parenting Choices,* Celestial Arts, 2009, 348 pages.

72. Matthiesen, A.S., A. B. Ransjo-Arvidson et autres, «Postpartum maternal oxytocin release by newborns: effects of infant hand massage and sucking», *Birth,* vol. 28, n° 1, 2001, p. 13-19.

73. Tyzio, R., Cossart, R., Khalilov, I., Minlebaev, M., Hübner, C. A., Represa, A. et R. Khazipov, «Maternal oxytocin triggers a transient inhibitory switch in GABA signaling in the fetal brain during delivery», *Science,* n° 314, 5806, 2006, p. 1788-1792.

74. Odent, M., *The scientification of love,* London, Free Association Books, 2001.

75. Odent, M., *The function of the orgasms: The highways to transcendence,* Pinter and Martin Ltd, London, 2009, 213 pages.

76. Tyzio, R., Cossart, R., Khalilov, I., Minlebaev, M., Hübner, C. A., Represa, A. et R., Khazipov, «Maternal oxytocin triggers a transient inhibitory switch in GABA signaling in the fetal brain during delivery», *Science,* vol. 314, n° 5806, 2006, p. 1788-1792.

77. Zanardo, V., S. Nicolussi et autres, «Beta-endorphin concentrations in human milk», *Journal of Pediatric Gastroenterology and Nutrition,* vol. 33, n° 2, 2001, p. 160-164.

78. Rivier, C., W. Vale et autres, «Stimulation in vivo of the secretion of prolactin and growth hormone by beta-endorphin», *Endocrinology,* vol. 100, n° 1, 1977, p. 238-41.

78a. Browning, A.J., Butt, W.R., Lynch, S.S., Shakespear, R.A. et J.S. Crawford, «Maternal and cord plasma concentrations of beta-lipotrophin, beta-endorphin and gamma-lipotrophin at delivery; effect of analgesia», *British Journal of Obstetrics & Gynaecology,* vol. 90, n° 11, 1983, p. 1152-1156.

78b. Rivier, C., W. Vale et autres, «Stimulation in vivo of the secretion of prolactin and growth hormone by beta-endorphin», *Endocrinology,* vol. 100, n° 1, 1977, p. 238-41.

78c. Zanardo, V., S. Nicolussi et autres, «Beta-endorphin concentrations in human milk», *Journal of Pediatric Gastroenterology and Nutrition,* vol. 33, n° 2, 2001, p. 160-164.

79. Wiklund, I., Norman, M., Uvnäs-Moberg, K., Ransjö-Arvidson, A. B., et E. Andolf, «Epidural analgesia: Breast-feeding success and related factors», *Midwifery,* vol. 25, n° 2, 2009, p. 31-38.

80. Odent, M., *The fetus ejection reflex: The Nature of Birth and Breastfeeding,* Sydney, Ace Graphics, 1992, p. 29-43.

81. Lagercrantz, H., et T.A. Slotkin, «The 'stress' of being born», *Scientific American,* vol. 254, n° 4, 1986, p. 100-107.

82. Segal, S., Csavoy, A.N., et S. Datta, «The tocolytic effect of catecholamines in the gravid rat uterus», *Anesthesia & Analgesia,* vol. 87, n° 4, 1998, p. 864-869.

83. Uvnas-Moberg, K, «Physiological and psychological effects of oxytocin and prolactin in connection with motherhood with special reference to food intake and the endocrine system of the gut», *Acta Physiologica Scandinavica. Supplementum,* n° 583, 1989, p. 41-48.

84. Brabant, I., *Une naissance heureuse: Bien vivre sa grossesse et son accouchement,* 4e éd., Montréal, Fides, 2013, 576 pages.

85. Friedman, E. A., «Normal labor», dans Emanuel A. Friedman, *Labor: Clinical evaluation and management,* New York, Appleton-Century-Crofts, vol. 2, 1978, p. 1-58.

86. Singata, M., Tranmer, J., et G.M.L. Gyte, «Restricting oral fluid and food intake during labour», *Cochrane Database of Systematic Reviews* 1, 2010.

87. Gaskin, I.M., *Spiritual Midwifery,* 4e éd., Book Publishing Company, 2002.

88. Odent, M., *The scientification of love,* London, Free Association Books, 2001.

89. Wieland Ladewig, P., London, M. L. et S. Brookens Olds, *Soins infirmiers: Maternité et néonatalogie,* Saint-Laurent, Éditions du Renouveau Pédagogique, 1992, 1002 pages.

90. Brabant, I., *Une naissance heureuse: Bien vivre sa grossesse et son accouchement,* 4e éd., Anjou, Fides, 2013, 576 pages.

91. Gaskin, I.M., *Spiritual Midwifery*, 4ᵉ éd., Book Publishing Company, 2002.
92. Hodnett, E.D., Gates, S., Hofmeyr, G.J., Sakala, C., et J. Weston, «Continuous support for women during childbirth», *Cochrane Database of Systematic Reviews 2*, 2011.
93. Newton, N., «The fetus ejection reflex revisited», *Birth*, vol. 14, nᵒ 2, 1987, p. 106-108.
94. Odent, M., «The fetus ejection reflex», *Birth,* vol. 14, nᵒ 2, 1987, p. 104-105.
95. Ferguson, J.K.W., «A study of the motility of the intact uterus at term», *Surgery, Gynecology & Obstetrics,* nᵒ 63, 1941, p. 359-366.
96. Blanks, A.M. et S. Thornton, «The role of oxytocin in parturition», *British Journal of Obstetrics and Gynaecology*, vol. 110, nᵒ 20, 2003, p. 46-51.
97. Odent, M., «The fetus ejection reflex», *Birth*, vol. 14, nᵒ 2, 1987, p. 104-105.
98. Newton, N., Peeler, D., et M. Newton, «Effect of disturbance on labor: Experiment using one hundred mice with dated pregnancies», *American Journal of Obstetrics and Gynecology*, nᵒ 8, 1986, p. 1096-1102.
99. Mercer, J.S., et D.A. Erickson-Owens, «Rethinking placental -// transfusion and cord clamping issues», *Journal of Perinatal & Neonatal Nursing*, vol. 26, nᵒ 3, juillet-septembre 2012, p. 202-217.
100. Anim-Somuah, M., Smyth, R.M.D., et L. Jones, «Epidural versus non-epidural or no analgesia in labour», *Cochrane Database of Systematic Reviews 12*, 2011.
101. Lieberman, E., et C. O'Donoghue, «Unintended effects of epidural analgesia during labor: a systematic review», *American Journal of Obstetrics and Gynecology,* vol. 5, nᵒ 186, Supplement Nature, 2002, p. 31-68.
102. Carroll, T.G., Engelken, M., Mosier, M.C., et N. Nazir, «Epidural analgesia and severe perineal laceration in a community-based obstetric practice», *Journal of the American Board of Family Practice,* vol. 16, nᵒ 1, 2003, p. 1-6.
103. Beilin, Y., et autres, «Effect of labor epidural analgesia with and without fentanyl on infant breast-feeding: a prospective, randomized, double-blind study», *Anesthesiology*, 103, 6, 2005, p. 1211-1217.
104. Wiklund, I., Norman, M., Uvnäs-Moberg, K., Ransjö-Arvidson, A. B., et E. Andolf, «Epidural analgesia: Breast-feeding success and related factors», *Midwiferyy*, 25, 2, 2009, p. 31-38.
105. Browning, A. J., Butt, W.R., Lynch, S.S., Shakespear, R.A. et J.S. Crawford, «Maternal and cord plasma concentrations of beta-lipotrophin, beta-endorphin and gamma-lipotrophin at delivery; effect of analgesia», *British Journal of Obstetrics & Gynaecology*, vol. 90, nᵒ 11, 1983, p. 1152-6.
106. Vadeboncoeur, H., *Une autre césarienne ou un AVAC? S'informer pour mieux décider*, 2ᵉ éd., Anjou, Fides, 2012, 380 pages.
107. Brabant, I., *Une naissance heureuse: Bien vivre sa grossesse et son accouchement*, 4ᵉ éd. Fides, 2013, 576 pages.
108. Buckley, S. J., *Gentle Birth, Gentle Mothering: A Doctors Guide to Natural Childbirth and Gentle Early Parenting Choices*, Celestial Arts, 2009, 348 pages.
109. Roberts, C. L., Torvaldsen, S., Cameron, C. A., et E. Olive, «Delayed versus early pushing in women with epidural analgesia: A systematic review and meta-analysis», *British Journal of Obstetrics and Gynaecology: An International Journal of Obstetrics & Gynaecology*, vol. 111, nᵒ 12, 2004, p. 1333-1340.
110. Hodnett, E.D., «Pain and women's satisfaction with the experience of childbirth: A systematic review», *American Journal of Obstetrics and Gynecology*, vol. 186, nᵒ 5 Supplement Nature, 2002, p. 160-72.
111. Cronenwett, L.R., et L.L. Newmark, «Fathers' responses to childbirth», *Nursing Research*, 23, 3, 1974, p. 210-217.
112. Block, C.R., Norr, K.L., Meyering, S., Norr, J.-L., et A.G. Charles, «Husband gatekeeping in childbirth», *Family Relations*, avril 1981, p. 197-204.
113. http://bonapace.com/docs/souhaitsdenaissance/sogc

Notes du chapitre 4
114. Shamanthakamani, N., Raghuram, N., Vivek, N., Sulochana, G., et N. Hongasandra Rama, «Efficacy of Yoga on Pregnancy Outcome», *The Journal of Alternative and Complementary Medicine*, vol. 11, nᵒ 2, 2005, p. 237-244.
115. Cottrell, Elizabeth C., et Jonathan R. Seckl, «Prenatal stress, glucocorticoids and the programming of adult disease», *Frontiers in Behavioral Neuroscience*, nᵒ 3, 2009, p. 1-9.
116. Peper, E., et M. MacHose, «Symptom prescription: Inducing anxiety by 70% exhalation», *Biofeedback and Self Regulation*, vol. 18, nᵒ 3, 1993, p. 133-139.
117. Le son BOA est attribuable à Elisa Benassi, psychophonéticienne et sage-femme italienne. www.esserevoce.it

Notes du chapitre 5
118. Roberts, J., «Maternal position during the first stage of labour», dans Chalmers, I., Enkin, M., et M.J.N.C. Keirse, *Effective care in pregnancy and childbirth*, Oxford University Press, 1989, p. 883-892.
119. Roberts, J.E., Mendez-Bauer, C., et D.A. Wodell, «The effects of maternal position on uterine contractility and efficiency», *Birth*, vol. 10, nᵒ 4, 1983, p. 243-249.
120. Lawrence, A., Lewis, L., Hofmeyr, G.J., Dowswell, T., et C. Styles, «Maternal positions and mobility during first stage labour», *Cochrane Database of Systematic Reviews 2*, 2009.
121. Gupta, J.K., Hofmeyr, G.J., et M. Shehmar, «Position in the second stage of labour for women without epidural anaesthesia», *Cochrane Database of Systematic Reviews 5*, 2012.
122. Lawrence, A., Lewis, L., Hofmeyr, G.J., Dowswell, T., et C. Styles «Maternal positions and mobility during first stage labour», *Cochrane Database of Systematic Reviews 2*, 2009.
123. Balaskas, J., *Active birth: the new approach to giving birth naturally*, Boston, The Harvard Common Press, 1992, 252 pages.
124. Simkin, P., *The birth partner: A complete guide to childbirth for dads, doulas, and all other labor companions*, Boston, The Harvard Common Press, 2008, 398 pages.
125. Calais-Germain, B., *Bouger en accouchant: Comment le bassin peut bouger lors de l'accouchement*, Éditions DésIris, 2009, 172 pages.

126. Simkin, P., et R. Ancheta, *The labor progress handbook: Early interventions to prevent and treat dystocia*, 3ᵉ éd., Iowa, Wiley-Blackwell, 2012, 399 pages.

127. Brabant, I., *Une naissance heureuse: Bien vivre sa grossesse et son accouchement*, 4ᵉ éd., Anjou Fides, 2013, 576 pages.

128. De Gasquet, B., *Bien-être et maternité: La grossesse, la naissance et après. Forme, détente, sérénité*, Paris, Éditions Albin Michel, 2009, 375 pages.

129. Engelmann, G., *Labor among primitive people*, 2ᵉ éd., St-Louis, J. H. Chambers & Co., 1884, 227 pages.

130. Gaskin, I. M., *Ina May's Guide to Childbirth*, New York, Bantam Books, 2003, 348 pages.

131. Gaskin, I. M, *Spiritual Midwifery*, 4ᵉ éd., Summertown, Book Publishing Company, 2002, 481 pages.

132. Calais-Germain, B., *Bouger en accouchant: Comment le bassin peut bouger lors de l'accouchement*, Éditions DésIris, 2009, 172 pages.

133. Le rebozo est un grand foulard utilisé pour masser et soulager les femmes pendant la grossesse et le travail. Cette technique est originaire d'Amérique latine. Le rebozo sert également à transporter le bébé pendant les trois premières années de sa vie.

134. Adapté de Balaskas, J., *Active birth: the new approach to giving birth naturally*, Boston, The Harvard Common Press, 1992, p. 117.

135. Simkin, P., et R. Ancheta, *The labor progress handbook: Early interventions to prevent and treat dystocia*, 3ᵉ éd., Iowa, Wiley-Blackwell, 2012, 399 pages.

136. Gardosi, J., Hutson, N., et C. B. Lynch, «Randomised, Controlled trial of squatting in the second stage of labour», *Lancet*, n° 2, 1989, p. 74.

137. Gupta, J.K., Hofmeyr, G.J., et M. Shehmar, «Position in the second stage of labour for women without epidural anaesthesia», *Cochrane Database of Systematic Reviews 5*, 2012.

138. Le site internet de la sage-femme américaine Gail Tully permet de faire l'apprentissage d'un bon nombre de mouvements à pratiquer pour favoriser un positionnement optimal du bébé dans le bassin pendant la grossesse et au moment de l'accouchement. www.spinningbabies.com

139. Calais-Germain, B., *Le périnée féminin et l'accouchement*, Méolans-Revel, Éditions DésIris, 1996, 158 pages.

140. Yildirim, G., et N. Kizilkaya Beji, «Effects of Pushing Techniques in Birth on Mother and Fetus: A Randomized Study», *Birth*, vol. 35, n° 1, 2008, p. 25-30.

141. Gupta, J.K., Hofmeyr, G.J., et M. Shehmar, «Position in the second stage of labour for women without epidural anaesthesia», *Cochrane Database of Systematic Reviews 5*, 2012.

142. McKay, S., et J. Roberts, «Maternal position during labor and birth: What have we learned?», *International Childbirth Education Association*, vol. 13, n° 2, 1989, p. 19-30.

143. Roberts, J., et L. Hanson, «Best Practices in Second Stage Labor Care: Maternal Bearing Down and Positioning», *Midwifery Womens Health*, n° 52, 2007, p. 238-245.

144. Roberts, J., «Alternative positions for childbirth, Part 2: Second stage labor», *Journal of Nurse-Midwifery*, vol. 25, n° 5, 1980, p. 13-19.

145. Roberts, J. E., Goldstein, S. A., Gruener, J.-S., Maggio, M., et C. Mendez-Bauer, «A descriptive analysis of involuntary bearing-down efforts during the expulsive phase of labour», *Journal of Obstetric, Gynecologic & Neonatal Nursing*, n° 16, 1987, p. 48-55.

146. Sleep, J., Roberts, J., et I. Chalmers, «Care during the second stage of labour» dans Chalmers, I., Enkin, M., et M.J.N.C. Keirse, *Effective care in pregnancy and childbirth*, Oxford University Press, 1989, p. 1129-1136.

147. Engelmann, G., *Labor among primitive people*, 2ᵉ éd., St-Louis, J. H. Chambers & Co., 1884, 227 pages.

148. Gupta, J.K., Hofmeyr, G.J., et M. Shehmar, «Position in the second stage of labour for women without epidural anaesthesia», *Cochrane Database of Systematic Reviews 5*, 2012.

149. Beynon, C. L., «The normal second stage of labour: A plea for reform in its conduct», *Journal of Obstetrics & Gynaecology of the British Empire*, vol. 64, n° 815, 1957, p. 331-333.

150. Odent, M., «The fœtus ejection reflex», *Birth*, vol. 14, n° 2, 1987, p. 104-105.

151. Blanks, A.M., et S. Thornton, «The role of oxytocin in parturition», *British Journal of Obstetrics and Gynaecology*, vol. 110, n° 20, 2003, p. 46-51.

152. Iyengar, G.S., Keller, R., et K. Khattab, *Yoga for Motherhood, Safe Practice for Expectant & New Mothers*, Sterling Publishing Co., New York, 2010, 443 pages.

153. Roberts, J., Goldstein, S., Gruener, J., Magcio, M., et C. Mendez-Bauer, «A Descriptive Analysis of Involuntary Bearing-down Efforts During the Expulsive Phase of Labor», *Journal of Obstetric, Gynecologic, & Neonatal Nursing*, janvier-février, 1987, p. 48-55.

154. Aasheim, V., Nilsen, A.B.V., Lukasse, M., et L.M. Reinar, «Perineal techniques during the second stage of labour for reducing perineal trauma», *Cochrane Database of Systematic Reviews 12*, 2011.

155. Carroli, G., et L. Mignini, «Episiotomy for vaginal birth», *Cochrane Database of Systematic Reviews 1*, 2009.

156. Beckmann, M.M., et A.J. Garrett, «Antenatal perineal massage for reducing perineal trauma», *Cochrane Database of Systematic Reviews 1*, 2006.

157. Odent, M., «The fœtus ejection reflex», *Birth*, vol. 14, n° 2, 1987, p. 104-105.

158. Newton, N., Foshee, D. et M. Newton, «Parturient mice: Effect of environment on labor», *Science*, n° 151, 1966, p. 1560-61.

159. Hastings-Tolsma, M., Vincent, D., Emeis, C., et T. Francisco, «Getting through birth in one piece: Protecting the perineum», American *Journal of Maternal Child Nursing*, vol. 32, n° 3, 2007, p. 158-164.

160. Beynon, C. L., «The normal second stage of labour: A plea for reform in its conduct», *Journal of Obstetrics & Gynaecology of the British Empire*, vol. 64, n° 815, 1957, p. 331-333.

161. Prins, M., Boxem, J., Lucas, C., et E. Hutton, «Effect of spontaneous pushing versus Valsalva pushing in the second stage of labour on mother and fetus: a systematic review of randomised trials», *British Journal of Obstetrics and Gynaecology*, 2011, p. 662-670.

162. Balaskas, Janet, *Active birth: The new approach to giving birth naturally,* Boston, The Harvard Common Press, 1992, p. 191-192.
163. http://bonapace.com/films/larbreetlenid
164. http://bonapace.com/films/naissanceorganique (en anglais seulement)
165. http://bonapace.com/films/lanaissancetellequonlaconnait (sous-titré en français)

Notes du chapitre 6

166. Guiraud-Sobral, A., *Manuel pratique d'acupuncture en obstétrique,* Éditions DésIris, 2012, 111 pages.
167. Auteroche, B., *Acupuncture en gynécologie et obstétrique,* Paris, Éditions Maloine, 1986, 308 pages.
168. Beal, M.W., «Acupuncture and related treatment modalities, Part II: Applications to antepartal and intrapartal care», *Journal of Nurse-Midwifery,* vol. 37, n° 4, 1992, p. 260-268.
169. Rempp, C., et A. Bigler, *La pratique de l'acupuncture,* Paris, Éditions La Tisserande, 1992, 215 pages.
170. Salagnac, B., *Naissance et acupuncture,* 3e éd., Montréal, Éditions Maisonneuve, 1998, 212 pages.
171. Lee, M.K., Chang, S.B., et D.H. Kang, «Effects of SP6 acupressure on labor pain and length of delivery time in women during labor», *Journal of Alternative & Complementary Medicine,* vol. 10, n° 6, 2004, p. 959-965.
172. Hjelmstedt, A., Shenoy, S.T., Stener-Victorin, E., Lekander, M., Bhat, M., Balakumaran, L., et U. Waldenström, «Acupressure to reduce labor pain: a randomized controlled trial», *Acta Obstetricia et Gynecologica Scandinavica,* vol. 89, n° 11, 2010, p. 1453-1459.
173. Borup, L., Wurlitzer, W., Hedegaard, M., Kesmodel, U.S., et L. Hvidman, «Acupuncture as pain relief during delivery: A randomized controlled trial», *Birth,* vol. 36, n° 1, 2009, p. 5-12.
174. Hjelmstedt, A., Shenoy, S.T., Stener-Victorin, E., Lekander, M., Bhat, M., Balakumaran, L., et U. Waldenström, «Acupressure to reduce labor pain: A randomized controlled trial», *Acta Obstetricia et Gynecologica Scandinavica,* vol. 89, n° 11, 2010, p. 1453-1459.

Notes du chapitre 7

175. Dick-Read, G.D., *Childbirth without fear: The principles and practice of natural childbirth,* New York, Harper and Brothers, 1953, 298 pages.
176. Jacobson, E., *Progressive relaxation,* University of Chicago Press, 1968, 496 pages.
177. Schultz, J.H., *Le training autogène, Paris,* Presses universitaires de France, 1968, 274 pages.

Notes du chapitre 8

178. Chaillet, N., Belaid, L., Crochetière, C., Roy, L., Gagné, G.-P., Moutquin, J.-M., Rossignol, M., Dugas, M., Wassef, M., et J. Bonapace, «A Meta-Analysis of Non-Pharmacologic Approaches for Pain Management during Labor: Toward a Paradigm Shift?», 2013 (soumis pour publication).
179. Klemp, H., *The spiritual exercises of Eck,* Minneapolis, Eckankar, 1993, 306 pages.
180. http://www.rogercallahan.com
181. Feinstein, D., «Acupoint stimulation in treating psychological disorders: Evidence of efficacy», *Review of General Psychology,* vol. 16, n° 4, 2012, p. 364.
182. Ortner, N., *The tapping solution: A revolutionary system for stress-free living,* California, Hay House Publishing, 2013, 229 pages.
183. http://www.eckankar-francais.org

Notes de l'annexe 2

184. Cette recette originale a été créée par Nina Munthe-Lepage, éducatrice certifiée en nutrition.
185. Le groupe Fleurbec, *Plantes sauvages comestibles: Guide d'identification Fleurbec,* Le groupe Fleurbec inc., 1981, p. 111.

TABLE DES MATIÈRES